D1416929

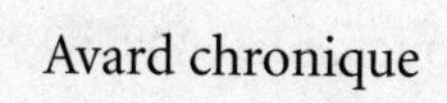

# Avard chronique

**Du même auteur :**

*L'Esprit de bottine,* roman, réédition en format poche, Les Intouchables, 2006 [1991].

*Les Uniques,* roman, réédition en format poche, Les Intouchables, 2006 [1993].

*Le Dernier Continent*, roman, réédition en format poche, Les Intouchables, 2005 [1997].

**Du même auteur, chez un autre éditeur :**

*Pour de vrai*, roman, réédition en format poche, Libre Expression, coll. 10/10, 2007 [2003].

# Avard Chronique

LES INTOUCHABLES

Les Éditions des Intouchables bénéficient du soutien financier de la SODEC et du Programme de crédits d'impôt du gouvernement du Québec.

Nous remercions le Conseil des Arts du Canada de l'aide accordée à notre programme de publication.

Nous reconnaissons l'aide financière du gouvernement du Canada par l'entremise du Programme d'aide au développement de l'industrie de l'édition (PADIÉ) pour nos activités d'édition.

LES ÉDITIONS DES INTOUCHABLES
4701, rue Saint-Denis
Montréal, Québec
H2J 2L5
Téléphone : 514-526-0770
Télécopieur : 514-529-7780
www.lesintouchables.com

DISTRIBUTION : PROLOGUE
1650, boulevard Lionel-Bertrand
Boisbriand, Québec
J7H 1N7
Téléphone : 450-434-0306
Télécopieur : 450-434-2627

Impression : Marquis imprimeur inc.
Conception de la couverture : Vincent Beauchemin
Illustrations : Vincent Beauchemin
Infographie : Marie-Lou Caron, Geneviève Nadeau
Correction : Corinne Danheux

Dépôt légal : 2008
Bibliothèque et Archives nationales du Québec
Bibliothèque nationale du Canada



ISBN : 978-2-89549-313-6

Dès le 1500$^{e}$ exemplaire vendu, les droits d'auteur suivants seront versés à « Action-Haïti, projets Maryse ».

# Sommaire

# Présentation

Bonjour ou bonsoir et bienvenue dans mon livre.

*Avard chronique* présente un choix de textes parmi tous ceux commandés par diverses publications ou pour divers événements. Ces billets ont été rédigés entre septembre 2004 et octobre 2007. Le choix des textes proposés était motivé par leur pertinence à vivre longtemps dans un format livre. Si, parfois, certains écrits publiés ici abordent des événements périmés, c'est que le traitement proprement dit des événements méritait certainement une relecture. Car *Avard chronique* se veut un voyage derrière d'autres lunettes pour observer le monde qui ne tourne pas rond autour de nous, un stage de formation ou de perfectionnement en ironie. Tassez-vous un peu, reculez, re-réfléchissez. Vous verrez, on découvre autre chose que la pensée ambiante.

Oh, certes, je n'avance guère de solutions aux maux de notre monde, mais la contestation demeure l'indispensable premier pas et l'acte fondateur de la résistance.

Enfin, la publication de ces chroniques choisies me permettait de vivre des moments chouettes :

• retravailler avec Antonio Di Lalla, troisième œil critique de ma stylistique bancale ;

• rencontrer Pierre Falardeau pour lui demander humblement une préface ;

• découvrir l'immense talent du peintre et illustrateur Vincent Beauchemin.

Juste pour ces raisons, ça valait la peine.

Bonne lecture,
avard

# Préface
## Pierre Falardeau

> *Nos émissions ont pour vocation de rendre le cerveau du télespectateur disponible : c'est-à-dire de le divertir, de le détendre pour le préparer entre deux messages. Ce que nous vendons à Coca-Cola, c'est du temps de cerveau humain disponible.*
>
> PATRICK DELAY,
> PRÉSIDENT DE TF1

J'aime beaucoup François Avard. Pourquoi ? Il me fait du bien, tout simplement. Il m'empêche de désespérer, tout à fait, de m'ouvrir les veines ou de me garrocher en bas du pont Jacques-Cartier. Et moi, quand on me fait du bien, je perds tout sens critique. Je deviens un inconditionnel. Un partisan.

Un jour dans le désert culturel canado-québécois d'expression francophone bilingue métissé d'interculturalisme de souche lasvégasienne sont apparus soudain *Les Bougon*, à mille milles de la culture *duty free international* du Cirque du Soleil et de Céline Dion. Une bouffée d'air frais dans la platitude érigée en système par la télévision. Soudain, il se passait quelque chose dans le vide intersidéral des médias tenus en laisse. Un éclair dans la petite noirceur du temps présent. Ce n'était pas encore la lumière au bout de l'interminable tunnel radio-canadien, mais au moins il y avait soudain une lueur d'espoir. Du jour au lendemain, je n'étais plus seul à gueuler dans mon coin contre la bêtise ambiante. J'avais soudain un camarade. Plus, un ami, un frère. Mon frère plus jeune frappait à tour de bras dans la bienséance officielle et les certitudes bourgeoises. Et moi, ça me faisait du bien à l'âme. Ça calmait ma douleur. Il y allait aux « toasts », mon frère. Avec son complice Jean-François Mercier, il dénonçait le mensonge avec férocité. C'était beau à voir. Il attaquait avec rage, systématiquement, les marchands de bonheur désodorisé, les promoteurs de bien-être climatisé, les « dealeurs » de cochonneries à la mode, les vendeurs de bébelles inutiles, les crosseurs de Chambre de commerce, les tripoteurs de commandites électorales. On était loin de l'humour absurde des comiques inoffensifs et réactionnaires. Pour Avard, je crois bien, c'est le réel qui est absurde. L'absurde, on patauge dedans à la journée longue. Il n'y a rien à inventer, il n'y a qu'à se pencher pour en ramasser à la pelle de l'absurde ; les patentes à gosse de Canadian Tire, les voleurs de grands chemins du Parti libéral, les « associés » qui travaillent pour Wal-Mart au salaire minimum, la marde de clown qui sert à fabriquer les hamburgers de Ronald McDonald. De l'absurde en veux-tu, en v'là !

Le succès a été instantané. Avard est devenu une vedette, le chouchou des médias. On le voyait sur toutes les tribunes. Il avait l'air sympathique avec sa tête un peu spéciale, son accent du bas de la ville, son vieux manteau d'armée et ses manières de pauvre. Il avait vécu dans l'est, il avait connu les fins de mois difficiles, un bon départ pour un écrivain. Il connaissait maintenant le succès, mais comme il n'avait plus vingt ans, il ne s'enflait pas la tête avec ça. Il avait l'air d'être resté lui-même. On était loin de toutes ces vedettes interchangeables, fabriquées en série, sur le même modèle. On découvrait un être humain dans un monde de chroniqueurs insignifiants, d'animateurs jovialistes avec leur tête de skieurs du mont Gabriel, leur bronzage de Nautilus, leur dentition d'Outremont, leurs cheveux varatanés, maquillés à la truelle et au pinceau de quatre pouces, tous pareils au ridicule Bernard Henri Lévy avec leur veston griffé, leur chemise Dubuc à col ouvert et leur torse de bellâtre italien épilé à la cire chaude. Beurk! Comme si pour travailler à la télévision, l'air tarte était une condition essentielle. Comme si on engageait que des morons ou des mongoles. Et tout ça tourne gentiment en rond comme dans un immense jeu de chaise musicale. Tévé, radio, journaux, magazines, les mêmes faces de lofteurs consanguins toujours et partout. Et on remplace les vieux débiles par des plus jeunes encore plus débiles. On remplace les épais par des épaisses dégoulinantes de bons sentiments et on se prend pour l'avenir de l'humanité. Aujourd'hui, comme la mode est au multi ethnique « politico-corrèque », on remplace les trous-du-cul ben blancs par des trous-du-cul ben noirs. Un trou-du-cul métissé, un trou-du-cul jaune, bleu ou arc-en-ciel, ça reste un trou-du-cul, non ? Ce n'est pas un problème de couleur de peau, c'est un problème d'obéissance aux ordres. On n'engage que des *yes man* et des *brown nose* qui rêvent de finir reine du Carnaval à Ottawa comme la colorée Michaëlle Jean et sa grande tarte de prince consort (pour les funérailles nationales, avec le carrosse, les cornemuses et les petits sandwichs aux œufs).

Dans toute cette faune parfaitement domestiquée, Avard avait l'air d'un animal sauvage fraîchement sorti du bois, une bête de cirque, un extraterrestre, un phénomène. Il mettait ses bottes de « robbeur » dans leurs jolis plats, crachait dans la soupe ou sur le gros cave à Coderre, mordait la main du maître qui met du manger dans son bol, tordait le cou au bel unanimisme consensuel. Il disait des choses intelligentes : ça nous changeait des téteux professionnels genre Sébastien Benoît, Marc Cassivi, François Bugingo ou Yves Boisvert, le coiffeur pour dames de *La Presse*. Il brassait la marde collée au fond du chaudron médiatique. Et ça me mettait de bonne humeur, ça me faisait grand plaisir comme disait le vieux Alexis Tremblay.

Puis un jour, il est disparu du paysage. Il s'est senti utilisé et il s'est tanné, de jouer le rôle de l'emmerdeur de service. Il a eu peur de faire un fou de lui, un Richard Martineau. Il a eu peur de devenir comme Patrick Lagacé grand champion de sniffage de caleçon sale, grand spécialiste du grattage de fond de poubelle, expert reconnu de récurage de fosse septique. (J'ai vu Lagacé récemment habillé en Monsieur Net, interviewer le petit maire Gendron. Un grand moment de télévision. Un combat de coqs. On se demandait vraiment lequel des deux était le plus nul dans ce concours de petitesse et de démagogie.) Avard a eu peur d'être mangé, avalé et digéré par un système vorace capable de récupérer n'importe quoi. Il a eu peur de devenir comme les autres. Il a préféré disparaître des ondes, comme *Les Bougon*.

Le loup solitaire avait cessé de hurler dans le désert. Et moi, j'avais perdu un frère, je me suis senti orphelin, abandonné, seul à nouveau. Retour au ronron habituel des professionnels du papotage et du remplissage. Mais pourquoi faut-il laisser toute la place aux imbéciles? Avait-il tort, Avard, avait-il raison? Je ne sais toujours pas. Je me pose la question depuis vingt ans. Cette peur de passer pour un fou, cette peur d'être utilisé, récupéré, marginalisé, je la connais bien. Elle ne me quitte jamais. Je refuse d'aller faire le zouave à *La fureur* ou d'aller danser aux tables à *La grosse Bazzo* ou à *La poule aux œufs d'or.* Mais je refuse aussi de me réduire moi-même au silence. Et j'assume toutes mes contradictions. Je suis peut-être naïf ou prétentieux ou les deux à la fois mais je crois encore à la force de la parole. Souvent quand on m'invite, je me bouche le nez et je plonge: à chaque fois, j'essaie d'imaginer ces milliers d'hommes et de femmes que je ne connaîtrai jamais, assis dans leur salon qui vont m'écouter, malgré eux, entre l'horoscope et les recettes de dinde congelée. Ça vaut la peine, je crois, de se salir les mains pour en rejoindre quelques uns. J'ai au moins l'impression de ne pas être tout à fait inutile et si ça ne donne rien, au moins, j'aurai fait mon travail, j'aurai inscrit ma dissidence. Prêcher aux convaincus, c'est mieux que rien car même les convaincus finissent par abandonner si on ne les encourage pas.

Moi, Avard, il m'encourageait quand je le voyais à la tévé, assis entre deux nouilles dégénérées: les nouilles avaient l'air encore plus nouilles. Mais il a choisi de rentrer dans ses terres. Je le comprends très bien. Heureusement, il est réapparu un peu plus tard au *ICI*, une espèce de circulaire Provigo de la consommation culturelle, pour faire ce qu'il connaît le mieux, écrire. On le publiait chaque semaine entre les annonces de cul et la chronique de la culture avec un cul majuscule, l'énorme cul du gros Vezina, celui qui fait dans la « powésie » bilingue, la culture culturée et les Mozart assassinés de la rue Saint-Laurent-Saint-Lawrence-street. Mais l'important c'est ce qu'on écrit, pas où on écrit. En tout cas, on ne s'ennuyait pas des saloperies à la petite semaine de Quasimodo Lévesque, cet amant péquiste éconduit et frustré, passé du jour au lendemain du métier de souffleur à celui de critique de théâtre. Moi, j'attendais la chronique du Bougon en chef, chaque jeudi, avec impatience, comme un alcoolique qui attend l'ouverture de la taverne le matin. Comme un petté au crack, j'attendais ma dose de Avard chaque semaine. Pour moi, c'était comme une béquille pour supporter l'insupportable. Rire de la bêtise ambiante, c'est déjà résister, c'est déjà se libérer. Je lisais ses textes et je riais tout seul, dans ma barbe comme dans le temps avec le bon vieux San Antonio. Je retrouvais aussi la méchanceté, le trait assassin, le coup de pied au cul, le poing sur les i, des lettres de Jacques Ferron dans *Escarmouches*. Avard ne fait pas de la littérature pour bonnes femmes de Laval. On est loin des poseurs: « Admirez mon style proustien, mes jolies phrases décoratives, mon manteau de nuit piqué de clous d'argent. J'ai appris à écrire chez les sœurs avec les post-modernistes de McGill. Je rêve de finir critique de littérature littéraire au *Devoir*. » Certains écrivains se regardent écrire comme d'autres à Radiocanadaleplusmeilleurpaysaumonde s'écoutent parler. Pas Avard ! Lui, il ne niaise pas avec la poque. Il n'y va pas par quatre chemins ni avec le dos de la cueillère. C'est direct, c'est crû et ça frappe fort. Souvent ça a l'air de rien, mais c'est toujours bien envoyé. Les belles âmes trouvent ça vulgaire. Pas moi. Comme chez Bukowski, je trouve ça plein de tendresse. Pour moi, la vraie vulgarité c'est un éditorial du téteux à André Pratte qui se met à genoux, jour après jour devant le Pouvoir comme un vulgaire serin du Village; il fait du journalisme comme d'autres font le trottoir. À quatre pattes ! « Des articles de fond » racontent le plus sérieusement du monde la nouvelle publicité payée par « Das Gross Presse ». Le fond du baril, oui ! Le fond de culotte. « Tout est dans les dessous », disait la Marquise de Sévigné. C'est brumeux, vaseux et visqueux comme dans le fond de la bol, leurs articles de fond. Une vraie « souompe » comme les commentaires de l'ignoble petit Dubuc.

Chez Avard, tout est clair, lumineux même. Il ne tète personne surtout pas les puissants. Il écrit comme Chaplin faisait des films, à coups de bottines dans les tibias, à grandes claques sur le museau, à grands coups de jambettes et de pirouettes. Comme dans les premiers films du maître, souvent ça a l'air tout croche. Et pourtant, ça marche. Tout se tient. C'est extrêmement cohérent. Du beau travail. Le travail d'un simple artisan qui connaît son métier. Des fois, ça me rend jaloux. Par exemple, j'aurais bien aimé l'avoir inventé moi-même sa formule des « Info pubs de l'armée canadienne » pour décrire les reportages de Radio-Canada en Afghanistan. Tellement jaloux que je vais lui voler ses idées sans payer les droits d'auteur. « La poésie appartient à ceux qui en ont besoin » disait le facteur à Neruda dans *Il postino.* J'en ai besoin : à la Canadian Broadcasting Corporation en version française, c'est toute l'information qui est devenue une énorme info pub. Les journalistes ont l'air en service commandé, « embedded » comme on dit, par Ottawa pour faire la promotion quotidienne de l'unité nationale. La caisse de résonance parfaite du néo-colonialisme canadien ! Pour ces braves petits troufions du bulletin de nouvelles, le Québec n'existe plus, c'est au Canada que ça se passe. Pour ces mercenaires de la publicité gratis, il n'y en a plus que pour une exposition de peinture à numéros à Halifax, les vaches en poterie de Joe Fafard à Moose Jaw ou les beignes-à-la-marde du nouveau Tim Hortons de Flin Flon. Peuvent bien se les enfoncer bien profondément dans l'arrière-train leurs « soupes dans un bol en pain » avec leurs « Air Miles » et leurs « tasses en carton qu'on déroule le rebord pour gagner un trou de beigne gratis ». Merci Avard pour le concept de l'info pub.

En attendant, je vais devoir piller d'autres auteurs parce que le Avard en question, fatigué de se déchirer les boyaux à écrire, vient de lâcher sa chronique au *ICI*. Encore une fois, je vais me retrouver tout seul à bougonner dans mon coin. Je vais m'ennuyer. Quand j'aurai assez ruminé chez nous comme un cave, je vais lui téléphoner maintenant que je le connais. On ira bougonner ensemble quelques heures en mangeant des mets chinois pas chers dans mon « boutte ». Même si je n'ai pas lu ses romans, parce que je ne lis pas de romans, peut-être m'invitera-t-il chez eux à Saint-Hyacinthe; on bougonnera à deux en pêchant la barbotte. Et quand j'aurai besoin de m'encourager, j'irai fouiller dans son vieux matériel pour lui piquer des idées. Avard appartient à ceux qui en ont besoin*.

Falardeau

*All writers are vain, selfish and lazy and at the*
*very bottom of their motives there lies a mystery.*
*Writing a book is a horrible, exhaustimg struggle like a long*
*bout of somme painful illness.*
*One would never undertake such a thing*
*if one were not driven on by some demon whom one can*
*neither resist nor understand.*
GEORGE ORWELL, *WHY I WRITE*

* Une personne par minute meurt à cause des armes à feu. Moi, j'ai réussi à lire la préface de Falardeau en douze minutes. J'espère que vous avez fait mieux.

avard

## Billet paru dans le magazine *PROTÉGEZ-VOUS* Numéro de mars 2005

*Le magazine* Protégez-Vous *proposait une chronique intitulée « Signé X », dans chacune de ses parutions mensuelles. C'était l'occasion pour une personnalité publique de faire un clin d'œil éditorial concernant un sujet lié à la consommation. Mon billet, « Un nouvel athéisme », parut dans l'édition de mars 2005.*

*À l'automne 2007, les Éditions Protégez-Vous ont fait paraître un recueil de tous ces billets savoureux, rédigés par 35 personnalités, intitulé* Regards sur la consommation. *Ce recueil est offert gratuitement aux abonnés du mensuel, à moins que je dise une connerie…*

## Un nouvel athéisme

La comparaison est trop facile pour y résister : la consommation devient la nouvelle religion. Les temples sont nombreux et divers : concessionnaires d'autos, boutiques, grands magasins… Cependant, une seule et même foi : si j'achète, ma vie sera pleine. Mieux vêtu, je deviendrai plus respectable. Au volant d'une voiture haut de gamme, je gagnerai de l'importance. Entouré d'un tas de machins, je vivrai une existence plus simple.

En entrant dans la nouvelle cathédrale, le Wal-Mart, au lieu du bénitier où l'on trempait les doigts, on s'accroche à un panier. De nouveaux abbés nous accueillent, en toges bleues, leur prénom accroché au sein. On n'erre plus dans nos pensées : on erre dans les allées, communiant ensemble, tous au même niveau devant les lois du marché comme devant Dieu. Face à un étalage de cossins, les fidèles se drapent tous de la même humilité. Partout autour, comme des icônes, les sigles de St-Sony, St-Nike, St-Gap… La muzak remplace les grandes orgues. La croix est un $ et notre chemin de $ se termine à la caisse où l'on braque sa carte de crédit. Un signe de croix : tchik-a-tchik. La caissière ouvre la tabernacle de caisse, arrache une ostie de facture du ciboire de tiroir-caisse et l'on repart avec un arrière-goût accroché au palais.

Les cloîtrés de la consommation, concepteurs et publicistes, préparent les textes des évangiles de 30 secondes et les psaumes modernes, les jingles. On sonne les cloches toutes les huit minutes à la télé. On donne à croire qu'il existe mieux que notre petite vie de misère, qu'en se rendant communier chez Zellers, on goûtera un peu de cette béatitude qu'affichent tous les dévots exhibés à la télé.

La consommation, on y a tous droit. Comme à la vie éternelle. J'ai, j'existe. J'aurai, j'existerai. Si par malheur on se retrouve au purgatoire, au bout de notre limite de crédit, c'est à genoux que l'on se quête une marge supplémentaire, que l'on confesse ses malheurs aux gérants de banque, ces évêques qui ont droit de crédit ou de faillite. Reconnaissant, on en sort le plus souvent avec le pardon mendié : une marge un peu plus grande. Car la religion ne souhaite perdre aucun fidèle.

Et des fidèles, il en faut pour que les temples brillent ! Alors, on part en croisade, évangéliser de nouveaux marchés ; initier les contrées reculées aux joies de la dépense ; civiliser des régions primitives qui ne se croient pas obligées de lire le temps qui passe sur une Rolex.

On est sortis des églises pour entrer dans les centres commerciaux. Heureusement, le stationnement ne manque pas. Le leurre a changé : la prière a cédé sa place au désir, au besoin de possession. Le but reste le même : oublier, taire un mal inconnu. Allez dans la paix du Christ ? Non : « Merci d'avoir magasiné chez nous ! » Pour des siècles et des siècles ? « Ça dépend de la garantie. » Amen.

* * *

Autour de moi, on s'étonne : « Pourquoi ce vieux linge ? » « Pourquoi cette vieille camionnette ? » Je dérange. Comme dérangeait peut-être celui qui ne s'agenouillait pas. Alors, je suis un nouvel athée. Bizarrement, selon le dictionnaire, l'athée est un matérialiste…

**Billets choisis, parus dans**
***LE COURRIER DE SAINT-HYACINTHE***
**Titre de la chronique : « Carte blanche »**
**De septembre 2004 à décembre 2005**
**400 mots, toutes les 4 semaines**

*À l'automne 2004, le rédacteur en chef du* Courrier de Saint-Hyacinthe, *Martin Bourassa, m'offrit de participer à la rédaction d'une colonne d'humeur dans son hebdomadaire. Puisque je partageais la tâche avec d'autres plumes régionales, ma collaboration se bornait à un billet toutes les 4 semaines.*

*Pour moi, il s'agissait d'un retour aux sources. Jadis, à 20 ans, j'ai signé une chronique dans un autre hebdo de ma ville natale,* Le Maskoutain. *J'en fus remercié parce que mes chroniques portaient préjudice aux commanditaires du journal. Puis, cet hebdo disparut à son tour de notre boîte à malle.*

*Bourassa n'avait peur de rien en m'offrant 400 mots de corde pour pendre son journal…*

# Résister aux opinions

**(10 novembre 2004)**

Dès une première réussite, notre opinion compte. La veille du succès des *Bougon*, j'aurais proposé une chronique « Carte blanche » au *Courrier*, on m'aurait envoyé promener. La veille du succès des *Bougon*, mon opinion ne valait rien. Depuis, on veut mon opinion sur tout et sur rien. Surtout sur rien. Souvent sur des sujets dont je ne sais strictement rien. Le hic : les opinions, je m'en sacre.

Les médias imprimés ou télévisés proposent de plus en plus d'opinions. Au lieu d'investir dans une salle de presse, dans le journalisme d'enquête, on mise sur les opinieux, des gens savants (!) dont la voix dicte le goût du jour. Et lorsque ce goût du jour perd sa saveur, nos opinieux virent capot et nous font bouffer une nouvelle merde. Car le jeu des opinieux est aussi de faire parler d'eux en naviguant à contre-courant de leurs affirmations de la veille. Pour se créer du travail. Et la roue tourne…

Si on nous gave d'opinions, est-ce à cause de la rareté d'événements à relater ? Rêvons un peu : un soir, un rédacteur en chef déclare à ses journalistes : « Gang, y aura pas de journal demain. Y'a pas assez de nouvelles. On attendra d'en avoir assez pour publier le journal. » Non : on préfère ériger des colonnes au sommet desquelles dissertent les opinieux ou proposer un vox pop. Un vox pop, en télé, c'est du Kraft Dinner : ça sert à remplir pour pas cher. En plus, un vox pop nourrira ensuite l'opinieux. Frileux, il s'appuiera sur l'opinion du peuple ; frondeur, il la contredira. Et la roue tournera…

Est-ce que toutes ces opinions font de nous de meilleurs citoyens ? mieux informés ? plus intelligents ?

Voici quelques constats simples :

• Les opinieux choisissent leurs arguments en fonction de l'opinion qu'ils souhaitent défendre. On n'apprend donc rien pour se construire une opinion contraire.

• Comme lecteur ou téléspectateur, on s'intéresse surtout aux opinions de ceux qui pensent comme soi : c'est moins agaçant.

• Les opinions de gens connus ne valent pas mieux que celles d'inconnus ; elles sont juste plus diffusées.

• Tout le monde a des opinions. C'est même très facile. Essayez, vous verrez.

• Ceux qui font valoir le plus d'opinions sont souvent ceux qui passent le moins à l'action. L'action guérit l'opinionite.

• La liberté d'expression, c'est aussi le choix de fermer sa yeule.

En définitive, la meilleure façon de se démarquer, dans tous les domaines ? Faire fi de toute opinion. Si tout le monde dit que la Terre est plate, traversez l'Atlantique !

C'est mon opinion*…

* Je ne suis pas nécessairement toujours d'accord avec moi. Ça me garde occupé.

# « Vous êtes pas tannés d'acheter, bande de caves ? »

**(8 décembre 2004)**

Comme Jordi Bonnet, l'auteur de la citation originale de Claude Péloquin gravée dans le mur du Grand Théâtre de Québec, peut-être devrait-on graver ce titre-pastiche dans le mur des Canadian Tire ? Dans sa publicité, la chaîne de magasins propose un « refroidisseur à vin ». J'espère qu'on se comprend : c'est un frigidaire !!! Si vous possédez déjà un réfrigérateur, vous n'avez pas besoin de leur refroidisseur à vin. C'est bientôt l'hiver, les commerçants offriront probablement un tout nouveau « réchauffeur à manteau ». Trompez-vous pas : ce sera une sécheuse. Si vous possédez déjà une sécheuse, vous n'aurez pas besoin de leur « réchauffeur à manteau ».

On a commercialisé la souffleuse à feuilles mortes alors qu'existait déjà le vent, je nous crois capables de commercialiser les flocons d'eau gelée alors qu'existe la neige. Promis : si le réchauffement de la planète provoque des décembres trop tièdes, les magasins offriront de la fausse neige à épandre sur nos pelouses afin d'évoquer les Noël d'antan...

Autre sujet, mais pas tant que ça, ayez confiance: récemment, la pile de mon téléphone cellulaire donnait des signes de vieillissement. Après quatre ans, je me résignai à changer de pile. (Ceux qui connaissent mon allure vestimentaire devinent que je reste longtemps attaché aux mêmes choses...) Dans la boutique spécialisée où je me rendis, on m'apprit que je ne pouvais me contenter de me procurer une nouvelle pile: je devais acheter un nouvel appareil.

– Pourquoi?

– Parce qu'on vend pas de piles, dit la vendeuse.

– Pourquoi?

– Parce qu'on en vend pas.

– Pourquoi vous en vendez pas?

– Parce que.

Pour introduire du soleil dans ma journée, la vendeuse a cru bon me préciser que, de toute façon, les nouveaux cellulaires offraient beaucoup plus d'options que mon vieux modèle. Ici, j'espère qu'on se comprend: à moins qu'une de ces options soit de faire l'amour avec Monica Bellucci*, tout ce que j'exige d'un cellulaire, c'est l'envoi ou la

* Ceux qui connaissent l'actrice Monica Bellucci savent qu'elle a tout ce qu'il faut pour nous rappeler que les L et les C de son nom viennent par paire.

réception d'appels. Malheureusement, désormais, les objets dotés d'une seule fonction, c'est démodé. On y greffe un tas d'options, et jamais Monica Bellucci, pour offrir ce que l'industrie appelle dans son jargon « une valeur ajoutée » ou ce que le consommateur averti appelle « des raisons de plus pour péter ».

Voici donc un bref aperçu du curriculum vitæ de l'appareil qu'elle me proposa : mémoire infinie, appareil photo, fax, agenda, navigation Internet, dossiers, jeux…

– Jeux???

– Oui. Des jeux. Pour jouer.

– Pourquoi ?

– Pour jouer. C'est des jeux vidéo, mais sur le cellulaire.

– Ah bon… Dites, un coup parti, votre cellulaire, est-ce qu'il refroidit aussi le vin ?

Option offerte
avec ce livre :
déchirez ici,
allumez
et obtenez
un feu !

# Le microcrédit

**(5 janvier 2005)**

Au palmarès des titres poches, « Le microcrédit » se mérite la première position. Martin Bourassa, rédacteur en chef, me dit : « Ça te dérange si je change ton titre ? » J'ai répondu : « Oui. Parce que, justement, mon premier paragraphe aborde sa nullité. » Ma chronique allait s'intituler « Le microcrédit », sinon je démissionnais. J'ai donc mis en jeu ma carrière de collaborateur-pigiste-occasionel-genre-une-fois-par-mois pour un titre de billet aussi attrayant qu'un cendrier plein de mégots mouillés.

« Le microcrédit », c'est un titre nul. Tellement que votre curiosité est piquée. Vous vous demandez de quoi je parle et, hypocritement, cela me laisse du temps pour terminer de lire ma documentation tirée du site Internet de l'ONU. Oui, madame ! De l'ONU ! Rien de moins ! Avec l'élégant monsieur Annan qui a toujours sa bette désolée de ne pas avoir pu intervenir là où les gens ont terminé de s'entretuer. Il est tellement swell, on lui pardonne tout !

microcrédit grossi 10 000 fois → $

Comme moi, la question que vous vous posez est celle-ci : « Écrit-on microcrédit ou micro-crédit ? » J'ai lu les deux façons. De toute évidence, l'ONU n'a pas encore statué. Et on le sait, quand l'ONU statue quelque chose, ça fesse !

Bon. Avant que vous ne lâchiez ce journal, j'ai intérêt à cracher le morceau. Eh ben, accrochez-vous, les ongles solidement plantés dans votre mélamine : 2005 sera l'année internationale du microcrédit ! Yes, sir ! Excitant, non ? L'Assemblée générale de l'ONU décide la célébration d'années internationales de n'importe quoi : l'année des personnes qui font bouger leurs oreilles, du pain tranché, des taches de rousseur. Cette année, c'est l'année internationale du microcrédit*.

Je vous résume en quoi ça consiste. (En vous faisant languir, j'ai pu terminer de lire la documentation…) Dans certains pays subsiste encore la pauvreté. Eh oui ! Et ce, malgré un décret de l'ONU stipulant que la décennie 1997-2006 serait internationalement vouée à l'élimination de la pauvreté. Dans ces pays, les petites gens manquent de capitaux pour démarrer des entreprises qui contribueraient à éliminer la pauvreté. Le microcrédit consiste donc à faire de miniprêts à de minigens qui créeront de minientreprises et de minijobs. Le

* 2008 est l'année internationale de la pomme de terre. Authentique.

plus souvent, ce microcrédit est géré par des organismes non gouvernementaux. On espère ainsi créer une activité économique, ce que plusieurs (surtout ceux à qui ça rapporte...) appellent de la richesse.

Les grosses banques n'ont pas de temps à perdre avec les microprêts. Elles offrent déjà du microservice dans leurs succursales. Elles font faire la sale besogne par les ONG en croisant les doigts, espérant que le développement économique devienne si important qu'on ait recours à elles pour des mégagigaprêts. Et là, ça leur rapportera quelque chose.

Sacrée ONU ! Il nous semblait aussi !

Bonne année, microcrédit* !

* « Au sein de l'Union européenne, chaque vache a droit à deux dollars de subvention par jour ; pendant ce temps, de quatre à cinq cent millions d'Africains disposent de moins de un dollar par jour pour vivre. »

Stephen Lewis, *Contre la montre*.

# Après le jus V8, la Liberté 55 et la Camaro Z28, voici le Benoît #16 !

**(27 avril 2005)**

Ah ! Le hasard ! Alors qu'on assistait à la campagne promotionnelle du film français *Podium*, mettant en vedette un type qui se prend pour le chanteur Claude François dans les concours de sosies, on assistait au conclave mettant en vedette des vieux-pas-encore-morts occupés à choisir qui se prendra le mieux pour Dieu. La promotion de *Podium* était assurée par le département « variétés » de nos médias. L'information, elle, se chargeait de nous « informer » des développements à Rome.

* * *

Aujourd'hui, on est trois jours après la phrase précédente. Quand j'ai écrit le mot « informer », j'ai éclaté de rire et je viens tout juste de terminer. J'espère qu'on s'entend : on a eu droit à deux semaines d'infopub pontificale. Le Vatican se met à jour au niveau médiatique.

Et c'est réussi. Des jours durant, Rome a fourni des images de jeunes en larmes suite au décès d'un vieux malade qui n'avait même plus la force de se masturber en pensant à Jésus. Puis, à la nomination du nouveau vieux, nouvelles images vaticanes de jeunes pleurant de joie. De notre salon, c'était beau comme un clip de J-Lo. Ça semblait « cool » de triper pape. J'aurais voulu une casquette avec le mot « pape » inscrit dessus.

Ces temps-ci, les boss de l'information de la SRC râlent contre les émissions de variétés qui retardent leur bulletin de nouvelles. Mais quelles nouvelles ont-ils à offrir ? Une cheminée éjaculant un pet de fumée ??? Tables rondes par-dessus analyses par-dessus vox pop, on nous a gavés de papautage. Les journalistes avaient l'air de Louise-Josée Mondoux, sauf qu'au lieu de nous vendre une rôtisserie à énergie solaire, ils nous vendaient une religion au charbon. On semblait fier de présenter une animation numérique qui illustrait le déroulement du conclave secret : ça ressemblait à *Jurassic Park*, mais avec des dinosaures à dentiers. Les services d'information relayaient ces images vaticanes sans se questionner. Sans questionner ceux qui baisent sans condom et transmettent le sida ; sans questionner les mères de dix enfants dans des pays qui ne peuvent nourrir la moitié d'une bouche ; sans questionner les gais qui, de toute évidence, foisonnent aussi dans les rangs des curés ; sans questionner les femmes qui sont prises pour des torcheuses de merde ecclésiastique.

Malheureusement pour Rome, dès son élection, Benoît 16™ est mal reçu. Impression de déjà vu : Coca-Cola lançant le Nouveau Coke… Nouvelle offensive médiatique et hop ! les médias répètent le plaidoyer catholique : « Ce pape pourrait nous surprendre ! » S'il se promène nu avec un pamplemousse entre les fesses, je vous promets d'être surpris.

Oui, le Saint-Esprit a illuminé les évêques. Si bien que sa lumière a aveuglé le monde de l'information. Devant ce cirque cosmétique et fanatique, le Dieu que j'ai appris aurait changé de poste.

# Peur inc.

**(20 juillet 2005)**

Quand j'étais enfant, dans le parc Eugène-St-Jacques (au coin des rues Raymond et Papineau), face à la défunte « cannerie », il y avait un robuste poteau métallique surmonté d'un gros cornet susceptible de déclencher une sonnerie d'alarme à la moindre attaque nucléaire communiste. Rien de moins. Régulièrement, une fois par année, on l'entendait pousser sa plainte. Dans l'esprit de tous, cette alarme était un test, une façon de dérouiller le mécanisme, de vérifier son fonctionnement afin qu'il puisse nous alerter convenablement dès qu'un missile quitterait Moscou pour tomber sur Saint-Hyacinthe afin d'anéantir notre vile bourgade capitaliste.

Aucun missile soviétique n'a atteint Saint-Hyacinthe et, honnêtement, le jour d'une véritable alerte nous aurions cru à un test de plus. De toute façon, qu'aurions-nous pu faire ? Courir ? Où ? Sitôt la guerre froide terminée, on a démantelé le poteau de l'Apocalypse. Une peur de moins.

Le charme de ce souvenir ? Avoir grandi en croyant ma communauté si menaçante pour Khrouchtchev ou Brejnev qu'on jugea bon d'installer cette alarme.

Trente ans plus tard, on tente de nous faire croire que nous sommes menacés par Al-Qaïda. Au lendemain des attentats de Londres, par un hasard qui tombait bien, la presse canadienne met la main sur des documents laissant entendre qu'une menace ciblait le métro de Toronto. La ministre canadienne de la Sécurité publique, Anne McLellan, déclare: « Nous ne sommes pas prêts à affronter une attaque. » Les Londoniens l'étaient et ç'a pété quand même. Si nos politiciens regardaient les nouvelles, ils y auraient vu les Britanniques, au lendemain des attentats, déclarant à l'unanimité: « Nous continuerons à vivre comme avant car la meilleure réponse à offrir aux terroristes est de ne pas succomber à la peur. » Si c'est bon après des attentats, est-ce qu'on s'entend pour dire que cette attitude est bonne avant des attentats qui ne surviendront peut-être jamais? Toutefois, il y a quelque chose à soutirer de notre peur: nos droits et nos sous. Des sous pour planter de nouveaux et robustes poteaux métalliques...

Et, tiens! nouveau hasard, au même moment, les infos présentent un congrès de marchands de peurs: des vendeurs de systèmes de sécurité, de détection, de protection antibactériologique, etc. Un Ontarien offre même un jeu de société pour initier les enfants aux risques d'un attentat terroriste. Son jeu est à vendre. On peut l'acheter. Le monsieur fera des sous.

Les peurs s'usent, se démodent, disparaissent, les fausses alertes éliment l'angoisse. D'autres «périls» prennent la place. Le dernier à la mode: le mariage gai menacerait la religion catholique. Peur du mariage gai: pas trop virile, notre Église… Alors désormais, chaque fois qu'on sonne les cloches, je me rappelle l'alarme anticommuniste. Un jour, on démantèlera aussi les clochers. Mais rassurez-vous: d'autres peurs auront pris la place. Bonnes peurs!

# La différence entre les caves et les sous-sols

(17 août 2005)

C'est rare qu'on assiste à la naissance d'une névrose. Pour une fois, je pourrai dire que le hasard m'a bien servi : j'ai assisté aux informations (!) télévisées de TQS qui a lancé une nouvelle peur urbaine : les concours de fellation dans les sous-sols du Québec.

Même les jeunes libéraux ont succombé à la névrose. Eux et moi, on n'est pas faits du même bois : en voyant ce segment de nouvelles (!), j'étais mort de rire. Marius Brisson a présenté la manchette comme une catastrophe nationale. Une journaliste (!) est venue sur le plateau de télé pour présenter son enquête (!) et lorsqu'on a enfin eu droit au reportage, il s'agissait d'un vox pop de préados dont on a préservé l'anonymat. Un vox pop ! Anonyme !!! Et que disaient ces jeunes ? La même chose que dans la cour de récré : « On a entendu dire qu'il y avait ce genre de concours-là. » Dans tout le reportage, aucun fait. Que des : « Ouin, moé, j'ai des amis qu'y m'ont dit que ouan, ç'aurait l'air qu'y aurait du monde qui ferait ça. »

Méchante nouvelle!!! Qu'attend le ministère de la Sécurité publique pour réagir* ?

Pour faire « sérieux », la journaliste (!) a interrogé une sexologue qui se réjouissait d'avoir obtenu le mandat d'étudier les mœurs sexuelles débridées des jeunes. Viarge, c'est sûr qu'elle se réjouit: elle va être payée pour!!! Ne vous inquiétez pas: ce n'est pas elle la pompière qui éteindra le feu. Aucun vendeur de caméras de sécurité, fournisseur du gouvernement canadien paranoïaque, ne se lèvera pour rappeler que les caméras du métro de Londres n'ont pas empêché les attentats.

Après le topo, Marius s'emballe, les baguettes en l'air, scandalisé. Mais scandalisé de quoi, le Marius? De la désinformation à laquelle il participe? De la job de merde de sa « journaliste » ? Nan: il se scandalise que nos enfants, dans nos sous-sols, « feraient des concours de fellation », comme le laisse entendre la rumeur qui circule chez les jeunes. De l'information-spectacle, j'veux bien. Mais dans « information-spectacle », il y a tout de même le mot « information ». Le lendemain, plusieurs médias radiophoniques reprenaient la nouvelle (!). Pourtant, si TQS fait de la merde, rien n'oblige à la re-chier.

Oui, il y a sûrement des jeunes qui organisent ce genre de concours. Mais ce

* C'est ça de l'ironie.

phénomène marginal doit-il se retrouver aux infos ? Au moins, ne le présentez pas comme un comportement généralisé. Entre vous et moi, combien de fous ont vu ce reportage avant de prendre leurs enfants à partie ? J'imagine facilement le parent cave dire à sa fille : « Toé aussi, ma p'tite crisse de guidoune, tu suces des gars dans le sous-sol ? »

– Mais papa, on a pas de sous-sol ! ? !

– C'est faux : ils l'ont dit aux nouvelles.

Ouan. L'été, au Québec, après le festival des nouvelles de caves, ne manque plus que le festival de la pipe de sous-sol.

# Nous ne trépignons pas tant que ça

**(12 octobre 2005)**

Les jours Sears sont arrivés. Si vous l'ignorez encore, je suis content de vous l'annoncer puisque vous les attendez. Du moins, c'est ce que prétend la publicité: « Les jours Sears que vous attendiez sont de retour. »

Je n'aime pas la publicité. Je la déteste encore plus lorsqu'elle s'adresse directement à moi. Car voyez-vous, personnellement, je m'en fous des jours Sears. Jusqu'à aujourd'hui, je ne me suis jamais demandé: « Quand reviendront donc les jours Sears? » Ma vie quotidienne ne se construit pas en fonction des jours Sears. J'ai beau relire mes agendas passés, j'y vois la marque des saisons, des anniversaires, de jours fériés… Les jours Sears? Rien. Vous allez rire, mais il semblerait que je m'en crissasse jusqu'à aujourd'hui.

Je ne fais pas partie des gens qui attendent les jours Sears. Car ne nous trompons pas: dans l'esprit de publicistes rigoureux, une foule de consommateurs attendent les jours Sears et seront contents d'apprendre huit fois par soir que ces derniers sont de retour. Ces cerveaux publicitaires sont certainement tombés sur un sondage où, à la question « Qu'attendez-vous ? », une majorité de Québécois et Québécoises répondit : « Les jours Sears ! » Alors, les concepteurs se sont dits : « Il faut spécifier aux gens que les jours Sears tant attendus sont arrivés. Ils seront contents. »

Mais, en somme, que signifie l'arrivée des jours Sears ? Un monde meilleur et plus équitable ? Un environnement plus sain ? La fin des cycles menstruels ? Une nouvelle ère où les magasins Sears distribueront gratuitement leur marchandise aux plus démunis ? Où les employées fellationnent les clients ? Cessez de rêver : les jours Sears, ce sont des jours de rabais, laissant entendre que le reste de l'année on vous fourgue des cossins au prix plafond.

Marre de la pub ! Partout. Tout le temps. À répétition. Est-ce que ça fonctionne vraiment de nous vendre à l'usure ? Osez une expérience. Dans la prochaine semaine, toutes les douze minutes, répétez à vos enfants : « Tu as envie de manger une tarte à la marde. Car la tarte à la marde est délicieuse : les enfants en raffolent ! » Voyez leur réaction… ou assistez, impuissants, à leur fugue.

J'en ai assez. C'est comme si je passais mon temps à vous répéter que la première saison des *Bougon* est maintenant disponible en DVD et que c'est très bon et qu'en supplément vous trouverez deux épisodes en anglais et que vous les attendiez depuis si longtemps et que faites-vous plaisir et que courez chez le marchand de DVD des *Bougon* le plus près de chez vous et que yé! Est-ce que j'en vendrais davantage? Je ne crois pas. Et pourtant, vous les attendiez! Vous ne me croyez pas? Laissez-moi vous le répéter: j'arriverai à vous en convaincre…

Les biscuits aux brisures
de marde Mardobec:
pas mangés et déjà digérés!

Vos enfants en raffolent!

## (Intermède)

# Gratuit et nouveau

Selon le livre de Luc Dupont intitulé *1001 trucs publicitaires*, dont certaines informations me sont passées devant les yeux, « gratuit » et « nouveau » seraient les deux mots les plus utilisés en publicité. En titrant « gratuit et nouveau », normalement, j'ai attiré votre attention et vous êtes présentement en train de lire cet intermède. Normalement. Mieux : si l'éditeur n'était pas si radin, ce titre serait apparu en rouge. Selon les publicistes, nous aimons le rouge. Il capte notre attention. Ce comportement se vérifie par exemple en librairie : un bandeau rouge sur un livre indiquant « Prix Goncourt » ou « De l'auteur de la série télé *Les Bougon* » mousse les ventes du livre ainsi enrobé.

L'auteur de *1001 trucs publicitaires* poursuit en affirmant que le sexe ne vendrait pas. En publicité, le sexe attire certes votre attention (comme la mienne), mais il nuirait au produit qu'il cherche à promouvoir. En bref, l'homme reluque un fessier, la femme se délecte d'un torse musclé, mais tous oublient le produit que ces attributs souhaitent mettre en valeur.

Le même phénomène se produit avec la face de Denis Coderre : elle aussi nuit au produit, le Parti libéral fédéral. Heureusement, ce produit est nuisible.

# Extra bonus !

**(28 décembre 2005)**

Les mentions « bonus » et « extra » sont des hameçons redoutables en consommation. Je vous invite donc à consommer prudemment cette toute dernière « Carte Blanche » signée François Avard. Eh oui, c'est fini : le *Courrier* en a marre de perdre des lecteurs après chacune de mes opinions gratuites trop dispendieuses. Qui sait, peut-être fera-t-on désormais fabriquer cette chronique en Asie ?

Ma prime de départ : un espace de 200 mots supplémentaires. Anyway, il ne se passait rien à Saint-Hyacinthe ce mois-ci. Alors, à la manière des suppléments de films sur DVD, voici mon extra bonus de chronique !

**MAKING-OF D'UNE CARTE BLANCHE :**

Le plus souvent, j'écrivais ma « Carte Blanche » mensuelle assis devant mon ordinateur, les deux mains posées sur le clavier. Par le passé, j'ai essayé d'autres façons, mais aucune ne s'est avérée aussi efficace que celle-là.

**REDACTOR'S CUT :**

Lors du décès du roi du Maroc, le lecteur du bulletin de nouvelles m'amusait en disant sans rire que « le roi Fahdh a eu droit à des funérailles simples en présence de dignitaires d'une trentaine de pays ». J'espère des funérailles aussi simples !... Mais je ne suis pas allé plus loin dans la rédaction de cette chronique, stoppé que je fus par l'orthographe du nom du roi Faddh. Je n'avais pas envie de me faire chier à fouiller pour en trouver l'orthographe exacte. Vous voyez : même assis, on peut être paresseux.

**BLOOPERS :**

Puisque je regarde davantage mes doigts que l'écran en écrivant, une fois je relevai la tête et découvris avec stupeur que ma « Carte Blanche » était complètement rédigée en lettres majuscules ! J'avais certainement accroché le « capital lock » par erreur. Eh là là !

**CHRONIQUE JAMAIS FAITE :**

L'hiver dernier, je voulais compter le nombre de feux de circulation de Saint-Hyacinthe et comparer le total à celui d'une véritable métropole telles Mexico ou Miami. Le rédacteur en chef a refusé de débloquer le budget de recherche nécessaire et m'a plutôt proposé une comparaison avec la municipalité d'Acton Vale.

**PLACEMENT DE PRODUITS :**

Vous cherchez des idées de cadeaux à quelques jours de Noël ? La première saison de la série télé *Les Bougon, c'est aussi ça la vie* est en vente partout. Vous snobez la télé ? Fuck it : procurez-vous le roman « Pour de vrai », en vente un peu moins partout.

**RÉACTIONS DE LECTEURS :**

Vous avez été très peu à réagir à mes chroniques et je vous en remercie. Car lorsque cela survenait, j'avais droit à des courriels de cette nature de la part de Martin Bourassa, rédacteur en chef :

*Salut François,*

*Voici le commentaire d'une lectrice fait par téléphone ce midi : « Une chronique moyennement intéressante, exception faite du commentaire quand il traite les femmes qui passent à* Transformation extrême *de grosses truies. » La dame se demande si tu t'es regardé dans le miroir, non sans ajouter que c'est toi qui as l'air d'un cochon avec ta coupe Longueuil… Enfin, elle a jugé bon de préciser que, si elle t'avait devant elle, elle te crisserait sa main dans' face… Cette lectrice n'a pas Internet, dommage tu ne pourras pas t'expliquer. Mais je lui ai juré de te faire le message. Voilà c'est fait, promesse tenue !*

*Martin*

Authentique.

**CHRONIQUE AUTOCENSURÉE :**

Lors de la tenue de leur congrès, lorsque les jeunes libéraux se sont intéressés aux petites culottes qui dépassent scandaleusement des pantalons, j'ai voulu marquer mon intérêt pour ce qui se trouve plutôt sous les petites culottes. J'ai donc trouvé sur Internet toute la documentation et l'inspiration nécessaires pour rédiger 400 mots au sujet du contenu des petites culottes féminines. D'ailleurs, ce fut l'une des chroniques les plus faciles à rédiger. Toutefois, le bon goût m'a fait remettre en question ce sujet et, ce mois-là, au lieu d'un texte à la gloire des chattes, vulves ou fesses de toutes sortes, j'ai plutôt abordé la mort du pape. Car rédiger une « Carte Blanche », c'est aussi manifester du jugement.

**REMERCIEMENTS :**

Merci. Je vous manquerai.

Position de mes doigts sur le clavier

## Billet paru dans le magazine *BIO-BULLE* Numéro 61, septembre 2005

Bio-Bulle *est un magazine d'informations concernant le biologique. Un collaborateur du magazine m'a proposé d'écrire un billet pour un des numéros. Je crois qu'il espérait un texte bien différent de celui que je lui livrai. Je n'aime pas prêcher à des convertis…*

# Santé inc.

**Par François Avard,**
**auteur et mangeur ordinaire**

Pendant longtemps, dans mon petit imaginaire attardé et cynique, les mots « écolo » ou « bio » généraient une résonance quasi poétique, à tout le moins rustique : des gens en dépression nerveuse, abandonnant le système qui les avait usés, se tressant des gougounes à partir de barbiches de chèvres, se nattant des ponchos avec des poils d'aisselles féminines, transformant leurs détritus en décorations rustiques meublant leur désarroi situé si loin que les routes n'étaient pas goudronnées pour s'y rendre.

En quelques années, l'imagerie pastorale liée au bio a changé. Désormais, elle est synonyme d'hommes B.C.B.G. en cravate ou d'élégantes dirigeantes d'entreprises courant entre deux rendez-vous qui changeront le monde pour le pire ou entre deux transactions financières qui ruineront un peu plus des pays qui ne nous ont rien fait. Entre deux appels numériques, ces bonnes gens soignent leurs symptômes préburn-out en stationnant leur VUS en double devant une boutique spécialisée qui leur vendra à prix fort de la vraie salade végétale, ou tournent en rond pendant vingt minutes autour du marché Jean-Talon pour se stationner le plus près possible de leur fournisseur de viande heureuse. Ils apporteront ces denrées dans leurs résidences secondaires à la campagne où ils se plaindront de l'odeur du fumier qu'ils tenteront de recouvrir du bruit de leurs motomarines.

L'industrie du bio ressemble à une machine à imprimer de l'argent. Pour s'en rendre compte, il suffit de se procurer leurs produits. On comprend vite que la santé devient un luxe, un loisir de riches.

Mais il y a pire: cette industrie qu'on croirait saine à tout point de vue tombe dans les mêmes panneaux publicitaires que les produits cacas. L'industrie du bio à laquelle on attribue tant de vertus verse dans les mêmes pièges que la malbouffe. Il y a désormais une surenchère commerciale au point où tout le bio devient grotesque.

On me demande généralement mon opinion parce qu'elle brasse la cabane. Aujourd'hui, je brasserai le poulailler en vous proposant un exemple: une douzaine d'œufs à un prix si excessif qu'il illustre le conte de la poule aux œufs d'or. La marque: «*Organic Eggs / Œufs biologiques*» produite par la ferme des Patriotes (Isn't it ironic...). Sur l'emballage de ces œufs certifiés O.C.I.A. (Qu'ossé ça veut dire ? On Crosse les Imbéciles Affamés ???), on précise que ce sont des œufs de poules heureuses qui ne vivent pas en cage. Moi qui suis emprisonné du lundi au dimanche, entre deux pages d'agenda, m'écrapoutissant sous les obligations, devrais-je me réjouir de savoir que des poules sont plus heureuses que moi ? Compte tenu du prix, je peux croire au bonheur de l'éleveur ; devant l'allégresse des poules, je frustre. Si ces poules étaient juste un peu moins gaies, leurs œufs seraient-ils juste un peu plus abordables ?

Mais l'emballage de ces œufs certifiés biologiques persiste dans un marketing toujours plus tonitruant et spectaculaire. Texto : « *Les poules jouissent d'une grande liberté dans un poulailler à aire ouverte avec fenestration leur permettant de bénéficier de l'éclairage naturel du jour. Elles ont aussi accès à un parc aménagé à l'extérieur.* » Quand on apprend qu'après le 1er juillet, plus de 300 familles cherchent toujours où loger, on s'interroge sur nos priorités… L'emballage continue : « *Les œufs sont ramassés tous les jours à la main, ce qui favorise de meilleurs contacts entre le troupeau de volailles et l'humain.* » Euh… quelle sorte de contacts ? Est-il si pertinent que le cultivateur devienne chumy-chumy avec ses poules ? Comme consommateur, suis-je rassuré de savoir que mon éleveur entretient d'excellentes relations avec ses poules qui, après tout, ne l'oublions pas, chient des œufs ? En bouffant l'œuf d'une poule épanouie, j'ai l'impression de tuer un poussin prodige. Un jour, ces éleveurs feront-ils visiter des camps de la mort, ces vastes poulaillers industriels sans fenestration ?

Certes, j'exagère, mais c'est mon métier.

Enfin, l'emballeur juge bon de nous lancer cette invitation : « *Appréciez ces œufs délicieux et nutritifs produits selon les méthodes traditionnelles d'élevage !* » Si les méthodes s'avèrent traditionnelles, au bout du compte le prix est plutôt futuriste. Personne ne s'oppose à la vertu, mais tous n'en ont pas les moyens.

Désormais, à lire les étiquettes des produits dans les épiceries, tout semble bénéfique pour la santé, meilleur pour l'environnement. On ne mourra plus jamais. Désormais, les chips sont pleines de fer, les friandises ne renferment aucun cholestérol et la bonne vieille liqueur brune contiendra bientôt des omega-3*. Désormais, manœuvrer son carrosse de classe moyenne dans les allées d'épicerie devient une science. Pour déchiffrer les emballages, discerner le vrai du faux, on devra offrir une option « bouffe » au cégep. Mais pour ceux qui,

* Les omega-3, c'est la nouvelle patente bonne pour la santé. Le saumon serait une excellente source d'omega-3. Ironiquement, les saumons sont de plus en plus malades…

comme moi, n'ont pas huit heures à passer dans les allées, manger sainement s'avère soit un défi soit un hasard. Souhaitons-nous bonne chance…

## Billets choisis, parus dans l'hebdomadaire électronique le Journal *MIR* Titre de la chronique : « Avard.con » De janvier à avril 2006

*Les raisons sont nombreuses pour détester l'éditeur Michel Brûlé. Moi, je préfère retenir les raisons pour l'aimer. L'une d'elles est son audace.*

*En janvier 2006, Michel lance (et finance de sa poche) un hebdomadaire électronique qu'il baptise* le *Journal* MIR. *C'est un mot russe et je ne me rappelle plus ce qu'il signifie.*

*Parmi les collaborateurs, on retrouve des plumes aguerries : Josée Legault, Ghislain Taschereau, Normand Lester et votre petit serviteur. Chaque semaine, je livre donc un billet dont la longueur n'est pas figée dans le béton. L'avantage de l'électronique, c'est qu'on peut écrire peu ou trop, et ça ne provoque aucun remous dans la mise en pages. L'inconvénient de l'électronique, c'est qu'au moment où Michel lance cet hebdo, ce mode de publication n'est guère viable financièrement…*

# Future revue de l'année 2006

**(11 janvier 2006)**

J'ai un peu d'avance, mais ce n'est pas grave : c'est toujours la même bullshit. Une revue de l'année à venir en début d'année, ça vaut ce que ça vaut, mais je ne risque pas plus de me tromper que Madame Minou. (Tiens ? Michel Brûlé n'a toujours pas publié de livres d'horoscopes ! ? ! Note pour moi-même : vendre le flash à Michel.)

Alors, voici ce que vous lirez cette année dans vos journaux. Désabonnez-vous dès maintenant, vous n'en aurez plus besoin.

**Janvier :** Le bulletin de nouvelles de la SRC ramené à 18 h 00 n'obtient pas le succès espéré. On le déménage à nouveau, cette fois à 15 h 00. // Hydro-Québec annonce préparer une hausse du tarif de l'électricité de 5,2 %. Comme prévu, la demande est trop grande. Chez lui, le consommateur râle contre la société d'État en retirant son jeu de 62 000 lumières de Noël. Mais l'an prochain, il se promet bien d'en installer assez pour que sa maison soit visible depuis la Lune.

**Février:** Après l'échec des cotes d'écoute jamais-importantes-lorsqu'elles-sont-mauvaises, la SRC déménage son bulletin de nouvelles de 15 h 00 à 19 h 30. // Le gouvernement remet Hydro-Québec à sa place. Dans une prise de position d'une rare fermeté, il exige de sa société d'État qu'elle se contente d'une hausse de 4,8 %. Les gens peuvent respirer. // Au moment du *Gala des Oliviers*, le monde chiale contre les humoristes qui parlent don' mal, qui sont don' pas intelligents, qui gagnent don' trop d'argent. Stéphane Gendron se permet une montée de lait sur le sujet. // Une société pharmaceutique retire des tablettes un médicament qui avait pourtant été approuvé par la Food and Drug Administration. Ceux qui le désirent peuvent aller retirer leurs morts des cimetières.

**Mars:** Eh qu'y a des trous dans nos rues! Les chauffeurs de taxi ressortent leur cahier de punch-lines sur le thème des « nids-de-poule ». Les autorités ressortent leur cahier de punch-lines sur le thème de « on va régler définitivement le problème ». // Le bulletin de nouvelles de la SRC de 19 h 30 déménage à 22 h 30, tout juste après celui de 22 h 00. // Nos vieux érables ne sont plus compétitifs. Mondialisation oblige, le sirop d'érable sera désormais produit aux Philippines par des enfants érables.

**Avril :** Le bulletin de nouvelles de la SRC passe à 22 h 00, en même temps que celui de 22 h 00. On espère de meilleurs résultats pas-importants en additionnant les cotes d'écoute pas-importantes des deux bulletins de nouvelles. // Des révisionnistes américains instaurent un nouveau programme d'enseignement grâce auquel on apprend qu'Adam et Ève ont vécu au Texas, Jésus, en Alabama.

**Mai :** Lancement de la campagne publicitaire de la nouvelle cochonnerie Masterscrap™. Cette fois, le couple formé de Canadian et de Tire nous propose le « rouleux à boulettes » avec pile rechargeable qu'on dispose ensuite dans son espace de rangement. Idéal l'été pour confectionner des boulettes de steak haché sur le BBQ, le rouleux à boulettes remplace efficacement les mains.

**Juin :** Hollywood nous dumpe une version cinématographique de *The Price is Right* mettant en vedette Jennifer Anuston. « Le hit de l'été ! » déclare le critique du *Journal de Montréal* dans son publi-reportage de 32 pages rédigé par MGM. // En une semaine de pure folie, l'essence grimpe jusqu'à 2,92 $. Les gens sont furieux. // Puisque c'est l'été, il fait chaud en crime ! // Pour la Saint-Jean-Baptiste, il y a un méga concert pour les purs, un pour les durs, un pour les mi-lourds, un pour les pas-sûrs, un pour les antis et un pour Loco Locass. De son côté, Michel Brûlé innove en créant un gigantesque party gratuit sur Internet. (Ce cyberparty de la Fête nationale est disponible aussi en russe puisque Michel parle couramment le russe et apprécierait que ça se sache.)

**Juillet:** Parce qu'il ne se passe rien d'autre, un fait divers d'été fait jaser pendant une semaine. Au choix: une disparition d'enfant, un crime sexuel, le mégaprocès américain du chien qui incarnait Benji accusé d'avoir zigné, etc. // L'essence est redescendue à 2,12 $. Les gens sont soulagés. // C'est le temps des Festivals gratisses. Un succès! Les gens peuvent enfin marcher gratisse dans la rue en mangeant une crème à glace à 8,50 $.

**Août:** Les excès du climat nous font jaser. Dans un coin reculé, pour la première fois, il tombe de la marde. On envoie de l'argent qui sera stocké dans un entrepôt quelque part. // La température monte jusqu'à 46 degrés Celsius. Les plaques de verre de la Bibliothèque nationale de Montréal fondent sur les usagés. Aucun recours possible: « C'était prévu dans les plans de l'architecte », déclare Lise Bissonnette.

**Septembre:** Au Québec, rentrée culturelle cinématographique: le film biographique sur le cardinal Léger fait une chaude lutte au film biographique sur la Bolduc. // La publication du palmarès des meilleures écoles suscite la controverse. Pour simplifier la tâche à leurs lecteurs, les journaux remettent en question la publication du palmarès au lieu de la qualité de l'enseignement.

**Octobre:** Après la vache folle et la grippe aviaire, la tranchite s'en prend au pain: l'air contenu entre chaque tranche serait nocif.

**Novembre:** Au Salon du livre, le thème de cette année est l'astrologie. Michel Brûlé et ses Intouchables lancent un pavé dans la mare intitulé *L'astrologie, c'est pas toujours vrai!* (aussi disponible en russe). « Une œuvre-choc », prétend un panneau publicitaire sur le pont Jacques-Cartier. // Au passage, pendant la durée du Salon, on parle un peu littérature, si ça dérange pas, s'il vous plaît. // Le hit du Salon: la biographie d'une personnalité qui s'est rentré un super gros objet dans le rectum. Michel Vastel a interviewé l'objet.

**Décembre:** *Star Académie IV* nous chie une autre chanteuse. // Canadian et Tire proposent le garage Masterscrap™. Un grand garage avec pile rechargeable où l'on peut aisément entreposer tous nos items Masterscrap™. Le garage Masterscrap™ est facilement démontable pour regagner son espace de rangement. Idéal en tout temps, il remplace efficacement votre garage.

# Queue de poisson

**(18 janvier 2006)**

En guise de deuxième sortie publique, je prends un peu d'avance et je vous propose une histoire qui se déroule dans le futur. Un futur rapproché. C'est de l'anticipation, comme on dit dans le jargon des anxieux…

Il y a eu la semaine médiatique du pitchage de trophée de Guy A. Lepage, celle de la drogue de Boisclair, celle du rapport Gomery, etc. Voici la semaine médiatique de Bobo le poisson qui parle.

L'histoire commence de manière assez anodine : un pêcheur retire son filet de l'eau et n'y trouve qu'un seul poisson. Toutefois, la stupeur prend vite le dessus sur le banal : le poisson l'interpelle. L'homme soupçonne d'abord la bouteille qu'il garde toujours près de ses lèvres, mais rapidement il se rend à l'évidence : le poisson lui parle. C'est un vieux saumon. Il s'appelle Bobo. Alors, le poisson est tiré des mailles du filet avant d'être amené au village où il jase et fait jaser.

Les journaux ne sautent pas tout de suite sur l'histoire. La télévision s'attardera en premier sur l'inusité de la situation. D'abord par obligation : le mandat de la Société Radio-Canada l'oblige à maintenir des reporters en région afin que ceux-ci fassent la démonstration régulière que les métropoles n'ont rien à craindre des régions attardées. Arrachant un sourire du rédacteur en chef blasé du bulletin national de 22 h 00, le sujet obtient un passage en fin de bulletin le samedi soir. Un topo de 90 secondes concernant Bobo le saumon qui parle et qui bouleverse un petit village de chômeurs maritimes. La nouvelle passe presque inaperçue puisque 44 % des Canadiens font l'amour le samedi soir entre 22 h 10 et 22 h 35.

Puis, Jean-René Dufort reprend des extraits de la nouvelle pour son émission hebdomadaire *Infoman*. Après tout, c'est désopilant, ce poisson qui parle ! Aussitôt, tous les recherchistes de tous les médias sautent sur le cas du poisson qui parle, et la semaine médiatique de Bobo commence véritablement.

Paul Arcand obtient la primeur d'une entrevue radio avec Bobo. Il tente de connaître l'opinion du poisson concernant le prix du gaz. À la radio de Radio-Canada, Homier-Roy riposte en interviewant le pêcheur. « C'est, somme toute, fort distrayant », déclare l'animateur, au final. RDI diffuse en boucle le reportage qui a tout déclenché. Pendant ce temps, à TQS, Jean-Luc Mongrain commente nos ruelles « qui sont don' ben sales ».

Soudain, TVA s'empare de la nouvelle de l'existence de ce poisson qui parle. Dès lors, le sujet est sur toutes les lèvres. Claude Charron produit d'ailleurs un émouvant billet traitant de la liberté d'expression pour toutes les créatures de la terre. Julie Snyder ne perd pas une seconde : elle invite Bobo à *Star Académie* où il chante en duo avec la nouvelle Aurore du refrain manufacturé. *Tout le monde en parle* boude le poisson qui a choisi de s'offrir en spectacle à *Star Ac :* les recherchistes de l'émission, qui avaient mis un brillant écrivain en stand-by, le rappellent et lui annoncent qu'il pourra passer à l'émission. Michel Brûlé sent le pognon : il va frapper à l'aquarium du poisson, lui proposant une biographie. Trop tard : Bobo a déjà signé avec Quebecor Média. Georges-Hébert Germain signera l'ouvrage chez Libre-Expression. Pendant ce temps, à TQS, Isabelle Maréchal saigne du nez en parlant des nids-de-poule de Montréal.

Les humoristes, pas cons, saignent la muse et multiplient les gags de poissons qui parlent. La plupart tournent en dérision l'accent saumâtre de Bobo. Un Justicier Masqué pousse la thématique un peu plus loin et se fait passer pour un homard parlant et, en direct sur les ondes radiophoniques, discute pendant plus de 30 minutes au téléphone avec l'honorable Denis Coderre. Ce dernier n'hésite pas à clamer son admiration pour le crustacé, signalant au passage qu'il ne se sent plus seul à vivre sans cou. Puisque les humoristes radiophoniques se sont emparés du sujet, les Zapartistes décident de snober les gags de poissons parlants. Enfin, un mémo circule dans la tour de Radio-Canada : le sujet est trop populo, on n'en parlera plus. Qui plus est, un informateur signale à la direction de la société d'État que Bobo pourrait agir à la solde des séparatisses. Pendant ce temps, à TQS, on propose un film de kung-fu italien tourné pour la télévision.

Le phénomène est désormais assez important pour que les chroniqueurs des imprimés sautent sur la question. Petrowski se déclare contre les poissons qui parlent. Nuevo est pour. (Le contraire pourrait éventuellement survenir, ça dépend qui des deux prendra la plume le premier pour s'opposer au sujet de conversation populaire.) Denise Bombardier est furieuse parce que le poisson ne sait pas écrire correctement. Marie Plourde suppute que la vie de couple avec un poisson serait certainement plus simple qu'avec un gars. Personne ne lit Marc Cassivi parce qu'il nous ennuie. Foglia a toujours eu une opinion sur la question, il attendait l'existence du sujet pour refuser de se prononcer. Et maintenant que le sujet est sur toutes les lèvres, Foggy se met en réserve de la nation et attendra que tout le monde se soit prononcé afin d'offrir une opinion à contre-courant tellement pleine de finesse que ses fans en pleureront. Michel Beaudry, de son côté, distrait avec des farces de poisson, la pire étant celle-ci: « Quand Bobo est gêné, on l'appelle le poisson rouge ! » Pendant ce temps, à TQS, on se donne à 110 % pour savoir si les Canadiens ont besoin d'un nouveau défenseur gaucher.

Dans une publication Quebecor, on apprend la couleur préférée de Bobo et on présente un photo-reportage de Bobo rencontrant Céline Dion à Las Vegas. *À la di Stasio* propose des recettes d'algues. Fabienne Larouche aborde la question dans un scénario de *Virginie* qui ne sera diffusé qu'à trois mois d'ici, délai de production oblige. Pour éviter les rapprochements trop évidents avec le cas « Bobo », Fabienne traite d'un hippocampe qui chante. Le docteur Mailloux blâme les mères poissonnes. Pour en avoir jasé avec Bobo, Stéphane Gendron ne croit pas un mot de toute cette histoire de poisson qui parle. Richard Martineau intervient enfin (!) et propose une opinion désinvoltement brillante sur la question : un poisson, ça sent pas bon.

Le phénomène tend à s'essouffler. Marie-France Bazzo choisit ce moment pour aborder la question avec un panel d'intellectuels. Par bonheur, pour une première fois, la mise en situation de Bazzo fait part du discours tenu par le poisson depuis le début de cette histoire : le réchauffement de la planète fait disparaître la faune des océans, transforme la flore sous-marine, etc. Bobo et ses semblables disparaissent rapidement et sûrement. Mais dans le débat qui suit, on choisit plutôt d'aborder le traitement médiatique et son débordement. Scientifiquement, on juge que les autres médias ont dépassé les bornes. Enfin, sur la teneur des propos de Bobo, il se trouve un intellectuel pour s'espérer plus fin que ses collègues en déclarant : « Quelle crédibilité peut-on véritablement accorder à un poisson qui parle ? Car s'il est capable de parler, il peut certainement aussi mentir. »

Heureusement, ce matin-là, on a retrouvé le corps inanimé d'un artiste connu dans une chambre d'hôtel. Toute cette insignifiance l'avait poussé au suicide. Une nouvelle semaine médiatique balayera la précédente…

# É♥É

**(25 janvier 2006)**

Parfois, je me prends pour quelqu'un que je ne suis pas. Pendant un moment, je peux y croire très très fort, ce qui m'amène aux pires excès. En voici une illustration…

Une fois, par mégarde, je me suis pris pour un amant ordinaire de la littérature québécoise. Alors, je me suis intéressé au palmarès Renaud-Bray publié chaque dimanche dans *La Presse*. En conséquence, je me suis pris ensuite pour un écrivain : alors, le peu de coups de cœur accordés à des romans québécois m'a ulcéré. D'ailleurs, pendant six semaines, du 24 octobre au 11 décembre, aucun roman québécois figurant au palmarès ne semble apprécié par Renaud-Bray. Aucun ♥ au moindre roman québécois. En pleine capitale mondiale du livre. Qui plus est, au beau milieu de ces six semaines, se tenait le Salon du livre de Montréal.

Alors, je me suis pris pour un archiviste. Je me suis rendu à la Bibliothèque nationale pour consulter les archives de *La Presse* des six derniers mois. J'ai imprimé ma recherche et je suis retourné chez moi où je me suis pris pour un analyste. Et maintenant, je me prends pour un journaliste sérieux (!) et je vous communique les résultats de cette analyse des palmarès Renaud-Bray.

Mon étude porte sur les 20 semaines qui vont du 25 juillet au 11 décembre 2005, donc 20 palmarès. Chaque palmarès compte 45 positions. J'ai donc analysé un total de 900 positions. (Notez que des livres reviennent souvent plus d'une fois au cours des 20 semaines.)

• Sur ces 900 positions, 159 sont occupées par des romans québécois, donc 18 %.

• Plus spécifiquement, sur ces 159 positions, seulement 27 sont des romans québécois ayant obtenu un coup de cœur.

• Donc, au total pendant ces 20 semaines, 3 % des 900 positions sont des romans québécois ayant obtenu le sacro-saint ♥.

Pour que le commun des mortels ne quitte pas ma chronique pour flyer sur madthumbs.com consommer du bon sexe gratisse, voici des faits qui jetteront un tout autre éclairage au constat qui précède. Je me suis pris pour quelqu'un qui cherche la merde et j'ai décidé d'analyser les livres de cuisine dans ma base de données Renaud-Bray. Eh bien, sur ces 900 positions, 92 sont occupés par des livres de cuisine. Pire : sur ces 92 positions culinaires, 59 se sont mérité un ♥ ! Au total, 16 % des romans québécois entrés au palmarès se méritent un ♥ tandis que 65 % des livres de recettes obtiennent le même privilège. Conclusion : écrivons des livres de recettes.

Je ne veux pas médire, mais si je décide de me prendre pour un vrai trudcul un brin macho manifestant une mauvaise foi atomique, je dirais que c'est la madame Renaud-Bray qui décide des coups de cœur des magasins de son époux. L'été dernier, en juillet, elle a adoré le livre *Barbecue* (♥) des Éditions de l'Homme. Ainsi, elle a pu préparer du BBQ bien juteux à son gros monsieur Renaud-Bray. Puis, en août, le temps des confitures est arrivé. Alors, elle a adoré le livre *Le Temps des confitures* (♥) des Éditions de l'Homme*. Son bon gros monsieur Renaud-Bray a pu étendre des confitures sur ses côtelettes grillées au BBQ. Un régal ! Puisque madame Renaud-Bray fait super bien la cuisine depuis toujours, monsieur Renaud-Bray l'a récompensé avec son pénis : il a bien fourré sa cantinière conjugale et ils ont eu des enfants. Alors, madame Renaud-Bray a adoré le livre *Comment nourrir son enfant* (♥) des Éditions

* J'aurais dû pousser mes recherches jusqu'au printemps : je suis sûr qu'elle a adoré *Le Temps des sucres*.

de l'Homme. Mais leurs enfants ont grossi et ont commencé à fréquenter l'école au mois de septembre pour apprendre à lire et écrire des recettes. Alors, pour maintenir les enfants Renaud-Bray bien gras et dodus, madame Renaud-Bray a adoré *Du nouveau dans la boîte à lunch* (♥) des Éditions de l'Homme. Et tant pis si la grosse fille de monsieur Renaud-Bray, celle qui sue de la sauce, est obèse comme une bombe H : sa mère lui a offert *Laisse tomber, il te mérite pas* (♥) paru chez Albin Michel.

Oh ! Certes, parfois l'adipeuse madame Renaud-Bray souffre d'un brin d'anxiété. À force de gaver son monde comme des oies, n'y aurait-il pas un quelconque risque pour leur santé ? Alors, elle décide d'adorer *Les Aliments contre le cancer* (♥).

Qui dit « septembre » dit ? Allez, je vous le donne : marinades ! Alors, madame Renaud-Bray a adoré *Le temps des marinades* (♥) aux Éditions de l'homme. Ainsi, elle a pu concocter de succulentes marinades pour son clan de goujats. C'est si bon avec le ragoût de foie gras aux confitures cuit sur le BBQ !

Bizarrement, le livre *Plats mijotés : 125 recettes actuelles* des Éditions de l'Homme est apparu dans le palmarès quelques semaines avant de se mériter un ♥. Normal : il fallait laisser le temps à toute la grosse famille Renaud-Bray d'essayer les recettes proposées. Or, 125 repas, chez les Renaud-Bray, ça demande tout de même 16 jours.

Le livre *Saveurs de légumineuses* des Éditions de l'Homme n'aura jamais le sceau d'excellence « coup de cœur ». D'après moi, chez les Renaud-Bray, on n'est pas fort sur les légumineuses. On préfère avaler un rôti avec de suintantes boules de suif ou accompagner une pointe de tourtière aux abats d'une bonne pelletée de saindoux. Le livre *Savoir cuisiner* des Éditions de l'Homme non plus ne se méritera jamais le cœur tant convoité. C'est normal : madame Renaud-Bray sait cuisiner. La preuve : elle a adoré toute l'année le livre *À la di Stasio* (♥).

Et que fait madame Renaud-Bray pendant que tout ce cholestérol mijote dans ses chaudrons ? Des sudokus ! Elle a adoré *Les Mordus spécial sudoku* tome 1 (♥) et tome 2 (♥).

Alors, après avoir mangé toutes ces calories bien dégoulinantes de jus de graisse, madame Renaud-Bray est allée chier. Et pour essuyer ses grosses fesses, je lui propose mon coup de cœur : le palmarès de son mari.

Voyons voir si Michel Brûlé lit les manuscrits qu'il publie: «Michel, t'es un nono!»

# Le virus JSB

**(1er février 2006)**

Bonjour et bienvenue à avard.con

Les cyberlecteurs qui visitent la section « commentaires des lecteurs » auront remarqué que, depuis les débuts de cette chronique hebdomadaire il y a trois semaines, Jean-Sylvain Bibeau* sévit dans la rubrique « commentaires des lecteurs ». Jean-Sylvain Bibeau n'aime visiblement pas l'ensemble de mon œuvre. Il se fait aller le clavier pour me signaler que, lorsqu'il tape a-v-a-r-d, sur son écran apparaissent les lettres c-a-c-a.

Moi, je n'aime assurément pas son nom. Qu'en 2006 on tolère encore de s'appeler « Bibeau » me sidère. Les noms propres ne sont pas immuables. Même les magasins Croteau ont changé de nom. Ils devinrent L'Aubainerie Croteau. Qui a changé de nom pour l'Aubainerie. Qui vient de changer de nom pour devenir Eureka. (Heureusement, le magasin n'a pas coupé dans la qualité. Remarquez, c'était impossible.) Même les seins évoluent ! Traînez sur les sites pornos rétro, vous verrez. Alors, l'évolution est même possible pour les totons à la Bibeau.

* Le nom a été changé. Le vrai JSB est tellement tache de marde, je ne voulais pas d'ennuis…

Mais trêve de gamineries. Jean-Sylvain Bibeau râle à chacune de mes chroniques. Il revient comme un herpès du billet, une cloque de la chronique, une sérosité de l'humeur. Bien sûr, il pourrait ne pas être de mon avis. Mais voilà : il ne le sera jamais. Pire : il ne s'y intéressera jamais. Pourtant, il s'accroche à moi comme un clou de fesse.

Ce serait trop facile de l'ignorer. Or, je déteste la facilité, bien qu'elle me permette souvent de gagner ma vie. Alors, je vais aborder le cas JSB. Après tout, qu'on l'ignore ou non, il est là et le sera jusqu'à la fin de mes jours.

Je vous rassure tout de suite : je le connais bien. Jean-Sylvain Bibeau, il me suit depuis longtemps. Enfant, il se moquait de moi quand je m'initiais au vélo à deux roues. À l'école, il s'amusait d'avoir tout compris avant moi. Au secondaire, il affirmait déjà connaître tous les mystères féminins et se plaisait à railler ma virginité. Au cégep, il me snobait. Quand j'ai commencé à écrire, il refusait mes manuscrits. Quand je suis parvenu à publier, il crachait sur mes écrits. Quand *Les Bougon* sont apparus, il me traitait d'ado attardé ou de pseudo-whatever. Aujourd'hui, il commente mes chroniques qu'il n'aimera jamais.

Depuis, j'ai un magnifique 10 vitesses rouge. J'ai obtenu un baccalauréat. J'ai fait l'amour à plusieurs femmes de plusieurs façons coquines. J'ai publié quatre romans. Près de deux millions de téléspectateurs ont apprécié *Les Bougon*. Et vous lisez cette chronique. Merci à vous.

Jean-Sylvain Bibeau, vous le connaissez aussi. Un Jean-Sylvain Bibeau, on en traîne tous un. C'est parfois un professeur qui nous traite de cruche, un collègue qui nous niaise, les institutions qui nous méprisent, un époux qui nous dénigre, une mère qui nous serine qu'on ne vaut rien. C'est aussi ça la vie.

Le Jean-Sylvain Bibeau apparut dès les premières lueurs de l'humanité. Comme les dents de sagesse, on le trimbale au fil de l'Histoire sans la moindre véritable utilité.

• Quand un homme préhistorique maîtrise le feu, Jen-SyLV est là et rétorque que ça ne servira qu'à provoquer des incendies. Un second invente la roue, il la trouve trop ronde.

• Les évangélistes ont changé son nom pour Judas Iscariote, celui qui a salopé la révolution hippie de Jésus.

• St-Jean-St-Sylvain St-Bibeau réapparaît au sein d'un tribunal de l'Inquisition qu'il préside. On y condamnera un certain Galilée qui prétend que la Terre tourne sur elle-même et autour du Soleil.

• Dès la première publication facilitée par Gutenberg, Yan-Sylhvin Biboh écrit dans la première section *Courrier des lecteurs:* « L'invention de l'imprimerie est la peste moderne de l'esprit. »

• Jehan-Sylvevin De Bibeau est sur le bateau de Christophe Colomb et râle qu'on s'en va nulle part. Dès qu'il pose le pied en Amérique, il râle que rien ne vaut les vieux pays.

• John-Sylvain Bibow travaille à la compagnie de disques Decca et assiste à une audition des Beatles encore inconnus. Il conseille à la compagnie de rejeter ces poilus parce que c'est fini les groupes de guitares.

Depuis l'existence de gens libres, il y a des Jean-Sylvain Bibeau. C'est un virus. Le virus JSB. Dès qu'on s'enfarge, il se multiplie. Dès qu'on se trompe, il éclot. Dès qu'on rate, il s'éclate. C'est une espèce de bactérie mangeuse de rêves qui, si on y succombe, bouffe nos espoirs et atrophie les muscles de l'audace. Le virus sape insidieusement le moral jusqu'à l'abandon et provoque la résignation.

Néanmoins, un fol espoir surgit: si on le combat un peu, d'échelon en échelon, de miniréussite en petite victoire, on l'entendra de moins en moins, bien qu'il crie de plus en plus fort. Normal: le JSB a la particularité de ne jamais s'élever.

Je suis porteur du JSB, mais la maladie ne se déclare pas. À force, j'ai développé des anticorps. Si parfois vous vous sentez fiévreux, si vous sentez une poussée de JSB, j'espère que cette chronique vous servira d'antidote et que ma désinvolture doublée par ma liberté vous soigne un brin.

C'est bientôt la semaine du suicide, Jean-Sylvain. Si tu ne sais pas quoi faire, j'ai un projet pour toi.

# Évolution 101

**(8 février 2006)**

J'ai 36 ans : pas 86. Pourtant, lorsque ma carrière d'auteur a débuté, en 1989, j'écrivais sur un dactylo. Il était électrique, certes, mais l'électricité ne contribuait qu'à rendre la touche du clavier moins pénible. Mes deux index hésitaient d'une lettre à l'autre jusqu'au mot « fin », complétant ainsi un texte full fautes et full coquilles. Après mes retouches du texte au Liquid Paper, la feuille de papier pesait un kilo et demi et faisait deux centimètres d'épaisseur. J'embarquais ensuite sur mon vélo et me rendais à l'usine de ma mère pour faxer le texte à mon employeur montréalais. À Saint-Hyacinthe où j'habitais alors, on tolérait ce fils « un peu artiste » d'une employée, qui utilisait le matériel sophistiqué de la compagnie pour envoyer des sketches « un peu comiques » à une station de radio de la métropole. En ces temps reculés, c'était comme ça. Et, après tout, ce n'était pas si compliqué.

Tout de même, **P**our **M**e **S**implifier **L**a **V**ie (PMSLV), je me suis procuré un fax. Cette technologie devenant plus abordable, je jugeai rentable d'investir dans un tel appareil qui allait me rendre plus productif, m'épargnant le déplacement en vélo. Qui plus est, j'allais pouvoir recevoir des télécopies directement à la maison, ce qui m'épargnerait les appels de la secrétaire de l'usine qui avait un timbre de voix rappelant un freinage de convoi ferroviaire.

Pour fonctionner, il me fallait une deuxième ligne téléphonique. PMSLV. Sinon, je risquais de décrocher mon combiné, réaliser recevoir un fax, courir au télécopieur, arriver en retard et rappeler l'envoyeur. Sans parler de toutes les fois où ma ligne risquait d'être occupée et, ainsi, nuire à la réception d'une télécopie. Une deuxième ligne me procurerait une parfaite quiétude. Le temps ainsi gagné me permit d'exécuter davantage de commandes. En plus de continuer d'écrire, je devins script-éditeur. Sur la ligne #2, je recevais le texte d'un auteur par fax. Sur la ligne #1, je lui communiquais mes commentaires. Tout ça, sans lever le cul de ma chaise. C'était génial ! L'humanité avait atteint la perfection, crus-je alors.

À la même époque, PMSLV, la musique sur vinyle disparaissait. Puisque j'écrivais le plus souvent avec de la musique plein les oreilles, le CD m'offrait un gain de temps : plus nécessaire de me lever de ma chaise, de sortir de ma bulle, pour virer Mozart de bord. Pensez à tout le temps que je passais debout, à virer mes microsillons de côté ! Inouï ! ! ! Un calcul rapide impose un constat : bout à bout, j'aurais, depuis, passé quatre jours à virer des disques de bord.

Puis, la révolution : un Macintosh Plus ! Je commence à comprendre ce qu'on voulait dire, plus jeune, lorsqu'on me répétait en classe qu'à l'an 2000, on n'allait presque plus travailler. Fini le Liquid Paper ! En plus, il y avait les fonctions « caractère gras » et « italique ». C'était vraiment chouette ! Une fois le texte à mon goût, je pouvais l'imprimer en choisissant entre huit sortes de polices. Yes ! Ma vie s'en trouva simplifiée... et enjolivée. Le temps gagné me permit d'exécuter davantage de commandes. La script-édition aussi se voit simplifiée : lors de réunions, on s'échange des disquettes, puis je bizoune directement dans les textes des auteurs. Plus besoin des laborieuses réécritures de textes. On n'inventera jamais mieux, crus-je.

Je me trompais : on inventa le courriel. Au début, à la seule vitesse Internet disponible, je dus prendre une 3e ligne. PMSLV. La ligne #1 pour le téléphone, la #2 pour l'Internet et la #3 pour le fax puisque pendant les deux années de flottement qui suivent chaque fois une nouvelle technologie, il se trouve toujours quelques attardés pour fonctionner au charbon. Ma productivité est multipliée par dix ! À toute heure du jour ou de la nuit, je reçois les textes d'auteurs ou j'envoie les miens. On ouvre le document et on tripote directement le contenu. Je multiplie les contrats, les commandes et les projets. Je deviens une PME : Petite Moderne Entreprise. Crus-je.

Et PMSLV, on invente en même temps le lecteur multi-CD. Fini de me lever à la fin de chaque CD pour changer la musique : j'ai désormais cinq CD qui défileront l'un après l'autre. Youpi ! Je m'assois à 8 h 00 et je me relève de ma chaise à midi.

Tout ce temps gagné, je peux le passer de plus en plus souvent en réunion à l'extérieur de chez moi. Puisque je peux travailler en pleine nuit grâce aux courriels, envoyer et recevoir des documents ou congédier des collaborateurs hors des heures de bureau, je bourre mon agenda de réunions de production ou de remue-méninges. Zut : mon téléphone, lui, ne me suit pas. De retour à la maison, je passe trente minutes à prendre mes messages. PMSLV, je me procure un téléphone cellulaire. C'est nouveau et c'est pratique. Désormais, mon bureau me suit partout : dans ma voiture, au resto, au salon funéraire. Ma secrétaire, vous la connaissez, c'est la dame qui parle avec le hoquet : « Vous a-vez dix-sept nou-veaux mess-ages. » *I don't fuck with the payroll*, mais lors de période lunaire où j'ai des envies de domination lubrique, il m'arrive d'exiger de ma partenaire qu'elle me par-le co-chon-ne avec l'accent de ma se-cré-tai-re vir-tu-elle. À force, je suis devenu un fétichiste du parler au-to-ma-ti-que.

PMSLV, puisque mon cellulaire sonne à qui mieux mieux ou que ma boîte vocale explose, je travaille la nuit pour un peu plus de calme. Ainsi, je peux consacrer les heures du jour aux diverses réunions. Entre deux meetings, PMSLV, j'ai un ordinateur portable qui se branche sur le Net que je peux apporter au resto. Je peux y lire le Journal *Mir* et l'éditorial de Michel Brûlé, histoire de bien digérer.

En plus, je peux manger en me servant de mes deux mains : je me suis procuré le machin qu'on glisse dans l'oreille pour parler librement au téléphone. J'ai l'air de parler tout seul, mais je produis en tabarnac ! Plus productif que ça, tu meurs. Je m'accommode même des heures de congestion routière : un lecteur CD/DVD dans ma voiture me permet d'écouter les émissions de radio que j'ai gravées, des émissions de télé sur lesquelles je travaille et qui sont en cours de montage ou les plus récents films dont on jasera certainement en réunion. Malgré le travail, on croira que j'ai encore une vie. Ma productivité est décuplée. Heureusement, car je dois acheter une plus grosse maison pour stocker mes vinyles, mes CD, mes VHS, mes DVD et ma télévision à écran plasma. L'image est belle en calvaire ! crois-je sottement aujourd'hui.

Car la télé me simplifie aussi la vie. Il devint impossible de continuer de me contenter du signal par antenne. Le 2 et le 10 de la petite roulette et le 17 et le 35 de la grosse ne suffirent plus à me garder up-to-date. Je me suis équipé d'une soucoupe et, d'un coup, me suis retrouvé avec 250 postes différents ! J'ai tellement de choix que je passe ma soirée à choisir* !

* * *

Plus jeune, quand on me prédisait que j'allais vivre l'âge d'or des loisirs, on disait vrai : sur mon ordi, j'ai full jeux. Sur Internet, j'ai full tout ce qu'il faut pour ne pas m'ennuyer. Même mon téléphone cellulaire m'offre des jeux, dont un jeu de quilles électronique (!). Plus besoin de traîner des CD : avec un iPod, c'est ptiptiptit. Ça simplifie énormément la vie. Désormais, en plus, j'ai un appareil photo incorporé à mon cellulaire. C'est super pratique ! Récemment, à cause d'un moment d'inattention en discutant au téléphone, j'ai eu un petit accident de voiture. Eh bien, grâce à mon appareil, j'ai pu prendre une photo de la scène. Au lieu d'un dessin minable sur un constat à l'amiable, c'est tellement plus simple !

Alors, je suis toujours assis : devant mon ordi, en réunion ou dans ma voiture. J'ai mal au dos, mais rassurez-vous : les anti-inflammatoires sont de plus en plus sophistiqués en plus d'empêcher la somnolence. Je dors peu, mais les innovations chimiques me simplifient énormément la vie. Si vous pouviez voir l'image de

* L'évolution varie. Ainsi, malgré mon écran plat au plasma, TQS présente des courses de nains contre des chameaux.

ma vie ! Une vraie vie ISO 9002 ! Une vie plus simple que ça, tu meurs !

PMSLV. Pour me suicider la vie.

À Noël, j'envisageais me faire un petit plaisir et me procurer un BlackBerry. Un ami m'a plutôt suggéré d'investir dans une thérapie. Dès que j'ai le temps, j'y vais. Et du temps, avec un BlackBerry, je vais en gagner en tabarnac ! croirai-je plus tard.

# Ça ne vaut pas un billet complet

**(15 mars 2006)**

C'est avec de petites chroniques qu'on en fait des grandes…

* * *

Le 8 décembre dernier, j'ai vécu un pur moment de perplexité. Ce soir-là, 25e anniversaire de l'assassinat de John Lennon, Musimax diffusait une musicographie de Mark Chapman. Je répète : une musicographie de Mark Chapman, l'assassin du célébré. C'est comme si le Salon du Livre décidait de rendre hommage à Michel Brûlé. Qu'est-ce qu'il a fait pour la musique, Chapman, à part lui couper le sifflet ?

* * *

Depuis, un autre Beatle, moins mort celui-là, est venu nous dire qu'il est barbare, en 2006, de tuer des phoques. Il propose la transformation de l'économie du zigouillage de phoques en écotourisme. Ah là là ! Eh madame, monsieur ! Eh qu'on n'a don' pas apprécié du tout du tout se faire dire quoi faire par un étrange !

Pourtant, on aime don' ça un safari au Kenya ! On aime don' ça aller voir les gorilles protégés de l'Ouganda ! Si la protection des animaux est valable pour le tiers-monde, pourquoi ne le serait-elle pas pour nous ?

* * *

Complément du minibillet précédent : un ministre fédéral nous a sorti une statistique pour justifier la chasse aux phoques. Sa statistique ministérielle indiquait qu'il y aurait trop de phoques. Bon. Moi, je trouve qu'il y a trop de ministres. Est-ce qu'on les zigouille ?

Le programme d'enregistrement des armes à feu, prévu au coût de deux millions, a coûté deux milliards. Est-ce que vous m'autorisez de douter des statistiques ministérielles qui indiquent qu'il y aurait trop (!) d'animaux ? Et puis chiffres à l'appui ou pas, l'Homme ne fait pas la preuve qu'il est le meilleur gestionnaire de la faune. Vaut peut-être mieux laisser les animaux s'arranger entre eux…

* * *

Un journaliste radio signalait qu'en Estrie, il y a un fort taux de suicide chez les jeunes.

« Bien au-dessus de la normale », précisait le journaliste. Lapsus ? Banalisation ? J'opte pour la banalisation, convaincu dans ma mauvaise foi que le ministère de la Santé établit ce genre de norme.

* * *

L'armée canadienne : un mort et six blessés lorsqu'un de nos blindés a été sauvagement percuté par une voiture taxi afghane. Il faut se méfier des taxis afghans. Plus besoin de dynamite : les Afghans piègent leurs voitures en mettant des chauffeurs de taxi distraits derrière le volant.

Devant la carcasse de l'immense blindé renversé cul par-dessus tête et près de la petite bagnole cabossée du pauvre chauffeur de taxi un peu sonné, le militaire interviewé déclare demeurer convaincu de la valeur de l'équipement canadien. Moi, je reste convaincu de l'efficacité du lavage de cerveau de nos troupes.

* * *

Petit rappel : le 22 avril 2006 se terminera l'année « Montréal, capitale mondiale du livre ». Pour le mois de mars, l'actrice et chanteuse Chloé Sainte-Marie agit à titre d'ambassadrice de « Montréal, capitale mondiale du livre ». Rappelons que les ambassadeurs précédents furent le docteur Réjean Thomas, l'athlète Bruny Surin, la comédienne Sophie Cadieux, l'animateur Paul Houde, le chanteur Tomas Jensen et le sympathique père Noël. Ne manque que Michel Brûlé !

# Acc/dent de trava/l autonome

**(29 mars 2006)**

Je su/s trava/lleur autonome. P/g/ste. Un art/san de l'émot/on. H/er, je me su/s m/s en colère pour une ra/son banale et j'a/ donné un grand coup de p/ed dans une porte de mélam/ne. J'éta/s en pantoufles. Aujourd'hu/, je ne peux plus marcher sur mon p/ed dro/t. Alors, j'a/ téléphoné à l'éd/teur de M/R, M/chel Brûlé :

– Écoute M/chel, cette sema/ne, /l n'y aura pas de b/llet à avard.con. Je su/s blessé.

– Pas de problème. On la/ssera la chron/que de la sema/ne dern/ère en l/gne. On m'a d/t qu'elle éta/t très bonne de toute façon.

– Et tu me payeras quand même ?

/l y a eu un long s/lence au bout du f/l. Long comme un d/scours d'André Bo/scla/r. Un s/lence empl/ de mala/se. Comme après une blague lancée par André Bo/scla/r. Un s/lence pas cla/r. Comme André Bo/scla/r.

– M/chel… ?

– Qu'est-ce que tu veux d/re par « tu me payeras quand même » ?

– Je veux d/re « je su/s blessé », je do/s me reposer.

– Tu es blessé où ?

– Au p/ed. Le dro/t.

– Tu écr/s avec ton p/ed dro/t ?

– Non, non.

– Bon. Fa que tu peux fa/re une chron/que ?

– Non ma/s je prends des ant/-douleurs. Alors, ça me rend tout chose. Je me sens comme Lou/s-José Houde ma/s paralysé. C'est très b/zarre.

– Je m'en fous. Des ant/-douleurs, tu en prends depu/s tro/s ans.

– Non : c'est des ant/-dépresseurs. C'est pas pour le même mal.

– Écoute Franço/s, tu écr/s ta chron/que, tu es payé. Tu écr/s pas ta chron/que, tu es pas payé. Tu as cho/s/ d'être p/g/ste, tu peux pas avo/r juste les avantages.

– Pr/mo, j'a/ pas cho/s/ d'être p/g/ste. Deux/o, je ne conna/s aucun avantage à être p/g/ste. Tu sa/s qu'en France, en ce moment, ce genre de cond/t/ons de trava/l soulève le peuple ?

– Tu sa/s qu'en ce moment, /c/, je m'en fous ?

– Tert/o M/chel, c'est de l'explo/tat/on et j'en a/ marre.

– Quatr/t/o, s/ ça te plaît pas, je fa/s écr/re ta chron/que par un /nd/en. J'a/ des contacts à Calcutta : je parle b/entôt l'h/ndou.

– O.K. S/ tu le prends comme ça, je va/s écr/re n'/mporte quo/ !

– M'en fous : de toute façon, j'te l/s jama/s.

– S/ tous les trava/lleurs autonomes s'un/ssa/ent…

– … ça ne sera/t plus des trava/lleurs autonomes. J'attends ta chron/que.

/l a raccroché. J'éta/s fur/eux. J'a/ donné un coup de po/ng sur mon clav/er. Depu/s, tous mes / sont des /.

F/n.

# Mots rétro

**(5 avril 2006)**

C'est le printemps, on range. On jette un tas de trucs, mais s'il vous plaît, ne touchez pas à mes vieux mots ! J'aime les mots rétro, les locutions élimées, les petites expressions en voie d'extinction. Je collectionne les bouts de papier sur lesquels je griffonne ces petits vestiges et, aujourd'hui, je vous en propose quelques pièces. N'hésitez pas à les remettre en service, à les actualiser, à les faire revivre. Vous serez surpris de l'effet obtenu !

Certes, parfois, on se heurte à un peu d'ignorance et notre bon mot tombera à l'eau. À Michel Brûlé qui m'appelait pour me dire que ma chronique était en retard, j'ai rétorqué : « Je suis au dépourvu. » Malheureusement, il m'a répondu : « Qu'est-ce tu fais au dépourvu ? Retourne chez vous pis écris ta chronique ! »

Alors, la voici, cette chronique : un florilège de jolis mots, un moment de doo-wop lexical, un saut dans le merveilleux monde des mots rétro !

SANS VERGOGNE : Vergogne signifie honte. La locution « sans vergogne » signifie donc « sans honte », « sans scrupules », « avec un front de bœuf ». On peut donc dire qu'en imposant le massacre du Mont-Orford, le gouvernement agit sans vergogne. À son fils qui fait un fou de lui à la télé, ma mère répète sans cesse: « Hier soir, tu m'as fait vergogne ! »

SE TARGUER: « Se vanter », « se prévaloir avec ostentation ». André Boisclair est un targueur, Françoise David est une targueuse. À quelqu'un qui fait son frais chier ou s'autoencense avec condescendance, rétorquez: « Arrête de te targuer ! » et observez ensuite son regard vide…

OMBILIC: « Nombril ». S'ajoute bien à « arrête de te targuer ». « Tu te prends pour l'ombilic du monde ! »

FAIRE FI: Se sacrer. Le gouvernement fait fi du monde. Je m'en fais fi. (Aucun rapport avec « à moitié gai ».) « Fi » est une interjection dont un synonyme serait « Pouah ! » ou, chez les enfants, « ouache, dégueux ! » Au serveur qui vous fait goûter le vin, répondez « fi ! » et voyez s'il changera de bouteille…

FULMINER: Sauter sa coche. Ne plus voter aux élections.

POPOTIN: Cul. Votre patron est un trou de popotin, tandis que sa secrétaire en a un joli. « S'introduire un furet dans le popotin » sonne mieux, effectivement, que « s'mettre un furet dans l'cul ».

OURDIR: préparer en cachette. Comme ce soir, lorsque j'arriverai à la maison, j'espère que ma conjointe m'aura ourdi des spaghettis.

Les secrétaires qui veulent surprendre leur patron n'ont qu'à entrer dans leur bureau en disant : « Je vous ai ourdi un café. » Il hésitera à en boire.

FOURBU : Vous souhaitez quitter le bureau plus tôt aujourd'hui ? Dites au patron, dans un soupir profond : « Je sais pas ce que j'ai, je suis fourbu. » Pris au dépourvu par ce mot charmant, votre patron ne pourra fulminer. Et puisque les patrons sont des targueurs trop lâches pour fouiller dans un dictionnaire, vous pourrez partir sans vergogne. Rien ne vaut un : « Pas ce soir, chéri : je suis fourbue. » Et si votre épouse vous sert l'excuse « pas ce soir, je suis fourbue », laissez-vous aller à regarder un film de popotin.

J'arrête maintenant. Je suis fourbu.

Édition interactive : page laissée à l'usage du lecteur.

## Allocution dans le cadre du *SOIR DE LA TERRE* 22 avril 2006

*On m'a demandé de prendre la parole lors d'un spectacle écolo,* Soir de la Terre. *J'ai pas su dire non, bien que le métier de gars-qui-parle-devant-le-monde est bien différent du mien. Pour me mettre à l'aise, j'ai parlé de ma rivière**...*

* Merci à mon chum Boily pour le coup de pouce...

# Soir de la Terre

Salut les granols,

Si ça vous dérange pas, j'vais faire tout le contraire d'un trudcul ministre, j'vais vous parler de quelque chose que j'connais : la rivière qui passe en arrière de chez nous. La Yamaska. Ou, comme on aime bien l'appeler par chenous, « la bouillie de marde ».

Difficile de pas être scato en parlant de c'te rivière-là. Marde pis Yamaska, c'est un pléonasme.

J'veux pas vous écœurer, mais à matin chus allé au bout de mon terrain pour en ramasser un pichet… *(Je sors un pichet d'eau brune de la Yamaska… et des verres.)* Ceux qui ont des nausées, c'est normal. Si y en a qui veulent faire un exploit de type Jackass, prenez-en un p'tit verre. Vous allez voir : au goût, c'est pas mal plus scandaleux qu'un furet dans l'péteux. C'est comme du Kool-Aid à l'azote ammoniacal… ou, vulgairement parlant, un punch à la pisse de truie, agrémenté de toxines, de phosphate pis d'E.coli. L'eau de la Yamaska est une arme de désaltération nocive.

Avant, l'hiver, c'était cool : la marde gelait pis on pouvait patiner dessus. En plus, en gelant, ça arrêtait de puer. Mais cette année, on a une preuve de plus du réchauffement de la planète : c'est la première année où la municipalité a pas pu aménager la patinoire sur la Yamaska, y a fait trop chaud en janvier.

L'été, à cause de la chaleur, une nouvelle algue est apparue. Ça fait que l'eau passe de la texture soupe de purin à la texture compote d'étrons. Astheure, sur la rivière, c'est plus facile de faire du roller blade en été que du patin en hiver.

Y se passe une chose bizarre dans c'te rivière-là : les ouaouarons sont stériles. Les madames pissent des anovulants à Granby pis c'est les ouaouarons de Saint-Hyacinthe qui deviennent stériles. Astheure, nos ouaouarons devront adopter des ouaouarons chinois. Puisque la population vieillit, quand les vieux de Granby vont pisser du Viagra, au moins nos ouaouarons vont passer l'été bandés. (Avec leur grosse graine de grenouille…)*

Vous allez m'dire : « Arrête de chiâler, Avard. L'eau de la rivière qui sort de ton robinet est traitée. » C'est vrai. Une fois traitée, il reste presque pus de trace de DDT, de pesticides, d'herbicides… Presque pus de trace… Imaginez qu'un restaurateur vous dise : « J'ai chié dans ton spaghatte, mais j'ai essuyé le plus gros. »… Hmm ! Ça met en appétit !

* Ça, je l'ai écrit entre parenthèses parce que j'hésitais à le dire sur la scène… Me rappelle pus si je l'ai dit… Sûrement… C'est mon genre…

L'eau de mon robinet respecterait les normes. Eh ben!?! C'est drôle parce que l'adoption internationale est devenue une des normes dans mon entourage parce qu'y a pus moyen de se reproduire.

La norme, c'est aussi que tout le monde meurt du cancer. Tout le monde chiale contre le ministère de la Santé qui fait son possible. C'est contre le ministère de l'Environnement qu'on devrait chialer, qui fait sweet fuck all.

La S.A.Q., pourquoi on l'oblige pas à récupérer ses osties de bouteilles? Ils écœurent les pauvres à récupérer leurs cartons de lait, les bouteilles de bière sont consignées. Mais les riches? Ils ne récupèrent pas leurs bouteilles de vin, leurs terrains de golf ont des droits spéciaux d'arrosage d'herbicides, ils ont des moteurs v6 ou des v8.

Vous voulez aider la planète? Plantez un arbre. Vous voulez la sauver? Plantez un riche.

Grenouille moskoutzine
à la saison des amours...

## Billets choisis, parus dans le *ICI*
## Titre de la chronique : « En conclusion »
## Du 14 septembre 2006 au 4 octobre 2007
## 800 mots hebdomadaires

*En septembre 2006, à l'occasion d'une rénovation complète du journal* ICI, *hebdomadaire culturel gratuit, on me proposa de faire état de mes pensées (!) dans les nouvelles pages lustrées de la publication.*

*Puisqu'on me réservait le fond du journal, la chronique s'intitulait « En conclusion ». On sent, ici, un concept, certainement pondu par l'éditeur adjoint Sylvain Prevate. Dans les faits, ma chronique suivait la page des annonces de putes, indication de l'appréciation qu'on avait de mon travail.*

*Pendant 55 semaines, j'ai tenté de ne pas perdre la face, le plus souvent en éreintant ce brave Prevate. Cet hebdomadaire appartient à Quebecor Média, donc à Pierre Karl Péladeau World International Universal and more incorporated illimited inter-galactiked. L'eczéma de Prevate augmentait d'un cran à chaque nouvelle mention du nom du grand boss dans mes billets. Pourtant, il n'y eut presque jamais de censure, certainement parce que PKP se doutait bien que mes humeurs ne changeraient rien à sa conduite du monde…*

## Monopoly

**(21 septembre 2006)**

Bon, je commence léger. Le célèbre jeu Monopoly revampe son image américaine? Alors, je vous propose l'édition 2007 du Monopoly version québécoise.

D'abord, rassurez-vous: ma version québécoise ne modifie pas la stratégie puisque la stratégie originelle convient parfaitement. Le premier tour demeure primordial, car plus vous le finissez avec de bons investissements, plus vous serez riche. Si votre premier tour est pauvre, vous le serez de plus en plus tout au long de la partie, sans la moindre chance de salut.

Plusieurs règlements généraux changent néanmoins. Par exemple, il est désormais interdit de fumer à moins de 21 mètres de la planche de jeu et, si un des joueurs est anglophone, tous les joueurs francophones doivent jouer en parlant anglais.

Les plus gros changements sont sur la planche de jeu. Les noms de terrains changent. Désormais, le tout premier terrain, le moins cher, s'appelle Murdochville suivi de près par Chandler. (Notez qu'en cours de partie, celui qui fait la banque peut décider la fermeture de ces terrains.) Le deuxième quart du plateau de jeu est en plein développement, en banlieue. Tous les terrains disponibles sont situés dans des zones humides. Pour y construire maisons ou hôtels, il suffit de verser une somme aux autres joueurs qui fermeront alors leur yeule. Le troisième quart propose des lieux plus cossus : le Plateau Mont-Royal, Outremont, Westmount, ainsi que Rosemère et Grand-Mère. La particularité du terrain de Grand-Mère, c'est que les hôtels qu'on y construit passent au feu tous les deux tours.

Le dernier stretch est le plus dispendieux, mais aussi le plus prometteur. D'abord des espaces verts: Mont-Tremblant et Mont-Orford. En graissant les autres joueurs, vous obtenez l'autorisation d'y construire tout ce que vous voulez à volonté. Le nombre d'hôtels est illimité. Enfin, le jackpot, c'est le terrain du CN près du Vieux-Port. Ce terrain ne coûte pas cher, les autres joueurs payent à votre place pour sa décontamination et, en plus de condos et d'hôtels, vous pouvez y installer un casino déménagé aux frais des autres joueurs !

Fini les quatre chemins de fer: désormais, le Monopoly québécois 2007 offre quatre ponts. Lorsqu'on y arrête, on passe un tour parce qu'ils sont en travaux ou congestionnés. La compagnie électrique demeure, mais le tarif augmente de 5 % à chaque tour. La compagnie des eaux n'existe que sur la version américaine du jeu, même s'il s'agit d'eau d'ici. À la place, on trouve un Wal-Mart où les joueurs moins fortunés apprécieront s'arrêter puisque c'est « si tant pas cher ! »

Plus de prison : désormais, on passe par l'hôpital. On ne peut plus se contenter de le visiter et continuer son chemin, car une visite contamine et on doit y passer trois tours. Le stationnement est désormais payant. Même sans prison, un policier sévit toujours. En tombant sur cette case, vous passez trois tours : le premier pour aller en cour, le deuxième pour contester en Cour supérieure et le troisième pour obtenir gain de cause en appel en Cour suprême.

Les cartes « Chance » n'existent plus : ce sont des gratteux. Les cartes « Caisses communes » vous en promettent de bien belles :

- « Vous décidez de prendre le transport en commun : passez trois tours à attendre votre autobus. »
- « Mauvaise estimation des travaux du métro de Laval : payez un milliard de plus. »
- « Vous vous êtes baigné à la piscine publique : rendez-vous à l'hôpital et passez trois tours. »
- « C'est la semaine du Bingo gai : tous les joueurs doivent effectuer leur prochain tour en parlant sur le bout de la langue et trouver ça cool. »
- « Vous vous reposez dans un parc de Montréal la nuit : payez une amende de 200 $. »

Quand on passe enfin « Go », la banque nous facture des frais bancaires. Car, dans la version contemporaine du jeu, l'argent n'existe plus. Chaque joueur détient une carte de crédit. Le but n'est plus de s'enrichir mais de tenter d'éviter la faillite. Au final, chaque partie fait le même gagnant : la banque.

# Forte débilité*

**(28 septembre 2006)**

Dans un épisode des *Bougon*, Papa déclarait que les compagnies sont à la veille de nous convaincre de se laisser perforer un deuxième trou de cul et ce, afin de nous vendre davantage de papier de toilette. Réjouissez-vous : ça y est ! La réalité dépasse enfin la fiction ! Le marché de la barnique étant certainement saturé, des optométristes investissent désormais dans la promotion d'un nouveau danger : les fortes luminosités™. Honnêtement, malgré ma foisonnante imagination, cette peur-là, je n'y aurais pas pensé moi-même.

Le danger est apparu dans ma boîte à malle. Il y avait un petit dépliant publicitaire, format « carte postale », de l'entreprise Vision Expert. En titre, couleur rouge-sang-dangereux : « Votre enfant est-il sensible aux fortes luminosités ? Ne laissez pas cette question sans réponse ! Consultez votre optométriste… » Pendant les heures qui suivirent, j'ai tenté d'avoir l'air d'un gars insouciant. Pourtant, l'angoissante question revenait me tourmenter : « Et si mon enfant était sensible aux fortes luminosités™ ? »

* Avertissement : en lisant ce bouquin les yeux fermés, vous reposez vos yeux.

Bon, je n'ai pas encore d'enfant, mais il valait visiblement mieux prévenir. En tout cas, le dépliant m'y encourageait. Alors, j'ai téléphoné chez Vision Expert pour obtenir plus d'informations. Parce que j'ai un front de bœuf, parce que j'étais inquiet et parce qu'au cours de brefs moments de lucidité, malgré l'anxiété grimpante, j'ai vu là-dedans un cas assez juteux de connerie humaine.

– Bonjour. J'appelle au sujet des fortes luminosités™.

– De quoi vous parlez ?

– Des fortes luminosités™. J'ai reçu un dépliant de votre entreprise m'enjoignant de m'inquiéter.

– Ah oui, le dépliant... Je peux vous aider ?

– Oui. S'il vous plaît, calmez-moi. Quels sont les symptômes de la sensibilité aux fortes luminosités™ ? Je suis soucieux.

Mon interlocuteur (que j'ai enregistré parce que je deviens un chroniqueur assez pro merci) utilisa un timbre de voix révélant un doute raisonnable. Peut-être s'enregistrait-il lui aussi afin de pouvoir réfuter devant un juge que son entreprise incitait fallacieusement les gens à paniquer ?

– Les principaux symptômes d'une sensibilité aux fortes luminosités™, c'est que vos enfants seront plus sensibles à la lumière.

– Ouais... O.K... Mais encore ? Qu'est-ce qui arrive ? Mon enfant saigne des yeux ?

– Non, non. On peut surtout en avoir des indices si votre enfant plisse des yeux, ne veut pas aller dehors ou préfère la noirceur dans la maison.

Dès lors, je m'inquiète au cube: le type décrit les symptômes d'un enfant-vampire! Le répondant a peut-être réalisé que je traversais une grave crise d'anxiété à l'autre bout du fil, parce qu'il a cru bon de préciser: « C'est tout de même un problème extrêmement rare. Le pourcentage d'enfants souffrant de sensibilité aux fortes luminosités™ est très très faible. » Le pourcentage d'enfant-vampire aussi…

– Ah bon. Si je comprends bien, vous faites une campagne publicitaire postale qui vise une portion extrêmement faible de la population. Les albinos, genre ?

Le préposé n'a pas répondu. On ne l'avait pas coaché à répondre à cette objection. Mais il prend soin de préciser que les fortes luminosités™, ça s'attaque principalement aux enfants de moins de 17 ans, soit ceux qui bénéficient encore d'un examen de la vue gratuit puisqu'ils sont couverts par l'assurance-santé. Bon, on lui objectera que certains ont la notion de gratuité assez élastique puisque, au bout du compte, c'est vous et moi qui payons pour leurs conneries avec nos impôts, mais je voulais que la conversation demeure civilisée.

– Dites-moi, est-ce que c'est plus fréquent depuis que la couche d'ozone a aminci ?

– Non, non.

– Alors, qu'est-ce qui provoque ça ?

– Souvent, on retrouve ça chez des enfants qui ont des yeux paresseux.

Ah ! Alors, si votre enfant ne voit jamais la vaisselle sale, s'il n'aime pas lire ou si ses yeux regardent surtout TQS, consultez un optométriste.

Pour me mettre à l'aise, le préposé me précise qu'il n'est pas nécessaire de connaître l'alphabet pour subir un examen de la vue. Les mauvaises langues diront que les adolescents peuvent donc subir cet examen…

– S'il n'est plus nécessaire de connaître l'alphabet, qu'est-ce que vous utilisez à la place des lettres ?

– Des icônes, des dessins.

– En lui facilitant trop la tâche, vous ne risquez pas de rendre les yeux de mon enfant paresseux ?

À ce moment-là, le breaker cérébral du gars a sauté. Sa conversation a bifurqué vers son sale-pitch : « Pour les enfants de 13 ans et moins, nous offrons le traitement antireflet et antirayure gratuit à l'achat d'une paire de lunettes complète. »

– S'il faut acheter une paire de lunettes, où c'est gratuit ? ? ?

En guise de réponse, le phone-tone. Il passait à un autre appel. Bon. Ironiquement, le slogan de Vision Expert, c'est « La vision, à tout prix ». Et pour une fois, cela me semble exact.

[illegible]

↑

Si vous ne parvenez pas
à lire cette phrase, c'est
que vous avez besoin d'un
microscope. Consultez
vite un microscopiste !

# Tout est écrit. La suite aussi.

**(5 octobre 2006)**

Tout est écrit derrière nous, pas si loin que ça, mais on ne se relit guère… Récemment, dans un documentaire concernant la guerre d'Algérie, on aurait changé les mots « France et Algérie » pour « États-Unis et Irak », « États-Unis et Afghanistan » ou « États-Unis et Where-ever-you-want », et le documentaire n'aurait perdu aucune pertinence. Au début des années 50, au moment des velléités d'indépendance de l'Algérie, la France intervient militairement pour, disait-elle, « pacifier » sa colonie. La propagande qui sévit alors en France pour faire avaler la guerre aux Français a toute la subtilité des années 50 : « On veut, disait-on, que l'Algérie continue de bénéficier de la mission civilisatrice de la métropole française, on veut des musulmans tranquilles, on veut que les Algériens restent libres d'être, eux aussi, un peu français ! » Car les Français ont souvent le tort de croire qu'être « un peu français », c'est le bout de la marde…

Marrant : dans la même semaine que la présentation de ce documentaire, le président du Pakistan, le très démocrate (!) général Musharraf (celui avec une moumoute séparée au milieu) en visite en Amérique, déclare que les Canadiens doivent cesser de pleurnicher quand nos militaires envoyés en Afghanistan reviennent dans des sacs verts les mardis et/ou les jeudis. Musharraf a parfaitement raison… vu par son petit bout de lorgnette. Après tout, il voit nos militaires débarquer là-bas pour traquer les talibans, guerroyer dans les montagnes, se battre dans le désert avec 100 kilos de matériel militaire sur le dos, mener des missions aux noms dignes de mauvais films de guerre hollywoodiens. Il a raison, Musharraf : c'est la guerre ! Non ?

Mais les Canadiens ont également raison de geindre… vu de leur gros bout de lorgnette. Ce point de vue, c'est le gouvernement canadien qui l'impose et les médias qui le répètent. Ce point de vue rappelle celui de la France lors de la guerre d'Algérie : il s'agit d'une mission de pacification, on veut des musulmans tranquilles, on va les libérer pour les civiliser…

Dès son élection, Harper (celui qui bouge comme les poupées de cire des Sentinelles de l'air) visitait les militaires canadiens basés en Afghanistan, le pays de Hamid Karzaï (celui avec pas-de-cheveux, mais avec une robe de clown pour dissimuler l'agent de la CIA caché dessous qui le manipule par le rectum). Tous les journalistes à la trace de Harper nous montrent alors ce qu'on veut bien nous montrer: nos chefs militaires disant y construire des écoles, distribuer des bonbons, aider les enfants à traverser les sentiers de sable après l'école pour ne pas se faire frapper par un chameau, etc. On essaye de nous vendre la guerre sous le couvert d'une B.A. scout. Si nos militaires sont vraiment là-bas pour construire des écoles, j'ai hâte que la CSST fasse enquête, parce que la construction, là-bas, semble dangereuse en ostie. Par ailleurs, au prix que coûtent des militaires en déplacement, pourquoi ne pas y envoyer nos gars de la construction qui ne travaillent pas en hiver? Ou si nos militaires sont si bons du marteau, pourquoi ne pas les garder ici et leur faire construire des logements sociaux* ?

Comment en vouloir aux Canadiens de se plaindre ? La colère serait peut-être moins grande si on disait franchement qu'on va là-bas pour faire la guerre et non pour jouer à tag avec les enfants. Cependant, problème : si le gouvernement admettait qu'on y va pour faire la guerre, il serait incapable de s'en justifier et devrait se retirer. Ce qui serait bien gênant auprès de notre allié américain. Avec un ami comme les États-Unis, pas besoin d'ennemi…

* Depuis, le discours a changé. On ne se cache plus de rien. D'ailleurs, le gouvernement canadien fait si ouvertement la guerre, sans gêne, qu'on pourrait croire que ça sert à cacher pire encore…

Il est désolant qu'en 2006, un Premier ministre tente de nous convaincre du bien-fondé d'une intervention guerrière. Sidérant qu'en 2006, on puisse prétendre pacifier, civiliser et libérer avec des armes. La vraie civilisation, elle existera quand il ne sera plus nécessaire de faire parler la poudre à canon. De toute façon, le vrai courage, ce n'est pas de faire la guerre : ce serait de régler les conflits entre nations sans coup de feu et d'assumer tous les sacrifices que des compromis entre les parties nécessiteraient. En ce moment, on sacrifie toujours les mêmes uns, au profit de toujours les mêmes autres. Car admettons-le pour de bon : la guerre est toujours faite dans l'intérêt de ceux qui n'en meurent pas. Pour les autres, c'est très enquiquinant.

Supposons, pour le fun, qu'aucune arme à feu n'ait été utilisée après le 11 septembre et admettons qu'une des conséquences ait été une montée extrême du prix du pétrole. Cela aurait-il pu encourager nos gouvernements à investir dans la recherche de nouvelles sources énergétiques au lieu d'investir dans les armements ? Et si cette source énergétique s'était avérée moins polluante, s'en porterait-on plus mal ? Et si cette nouvelle énergie n'était pas aussi performante que l'essence et qu'on se tuait moins en roulant moins vite, serait-ce si grave ? Et supposons qu'une énergie moins performante nous pousse à construire des voitures dans des matériaux récupérés plus légers?… Au contraire, on a choisi la solution militaire. Boum.

Si ma vision des choses est naïve, ma naïveté, au moins, ne tue personne.

25 % des militaires canadiens, de retour d'Afghanistan, reviennent avec des troubles mentaux.

# À condition d'homme

**(12 octobre 2006)**

Femmes, je vous aime. Mais cette semaine, je fréquente un tout autre registre : on va se jaser entre hommes. Un petit partage d'H. A., d'Hommes Anonymes. Alors mesdames, vous avez terminé de lire votre *ICI*, vous pouvez le ranger dans un bac de récupération.

Salut les gars. Je m'appelle François et je suis un homme.

Récemment, un ami et moi nous sommes rendus loin d'ici en voiture, un modèle très récent et luxueux. Cet ami a le privilège d'avoir un système d'itinéraire vocal par reconnaissance GPS. En gros, une voix virtuelle nous indique le chemin à prendre au fur et à mesure de notre voyage. Ironiquement, la voix qui nous indiquait la direction à suivre pour se rendre à la salle de spectacle d'une ville étrangère était féminine. Et elle ne se trompait pas ! Jamais, au cours de notre périple, la voix n'a demandé que l'on s'arrête quelque part pour demander notre route. C'était une voix chaude, quasi sensuelle, le genre de voix qu'on imagine mal, dans la vraie vie, nous dire : « À 200 mètres, tournez à droite. » Tout le long du déplacement, mon ami et moi espérions en secret qu'elle murmure: « Qu'est-ce que vous aimeriez que je vous fasse? » Pour chacun de ses « hoquets électroniques », on imaginait des secousses d'une autre nature...

Imaginez la scène quasi science-fictive: deux hommes qui se laissent dicter le chemin par une femme sans riposter! Mon ami me signalait qu'au goût, il peut sélectionner une voix virtuelle masculine pour faire le même travail oral de direction. Mais, amant de l'inusité, il préfère le timbre féminin, et puisque la voix n'erre jamais, c'est chaque fois inusité. Car la femme cachée dans le capot de la voiture ne s'est jamais trompée d'un mètre. C'est fort, la technologie! Les mauvaises langues diraient pourtant que les femmes auraient besoin d'un GPS pour pousser la tondeuse à gazon derrière la maison.

C'est là qu'on est rendu, messieurs. On se fait indiquer le chemin par les femmes. Chemin propre et figuré. Ou chemin publicitaire.

La publicité s'avère une belle démonstration de ce qui est ou de ce qui sera, tout en tirant depuis toujours des ficelles grosses comme le câble télégraphique transatlantique. Loto-Québec, dont la subtilité est visible depuis la Lune, a tenté d'attirer de jeunes hommes américains au késino de Montréal en laissant croire qu'on y trouve des pitounes avec des belles grosses boules. Bon. En plus d'être cave, c'était surtout une publicité mensongère. Ce qu'on trouve au késino, c'est des grosses boules, oui, mais des grosses boules de grand-mères dodues ou de vieilles veuves désœuvrées, leur gros cul bien calé dans leur grosse couche pleine de merde.

Des femmes sont sorties publiquement pour marquer leur indignation. S'il fallait que les hommes sortent à chaque publicité où l'homme est cave, on coucherait dehors. Mais dans la pub, les femmes ne sont plus les seuls bourreaux du Québécois type : les enfants s'y mettent. Le gars cave, naguère incapable de déboucher un évier avec un bulldozer, est désormais papa. Non seulement il ne sait pas mettre une capote, il ne sait pas magasiner ses pneus : à présent, ses enfants choisissent pour lui. Car des sociétés de pneumatiques croient bon de publiciser leurs produits en présentant des enfants qui font la leçon à leur père quant à la sorte de pneus à acheter. Imaginez, même le choix de la couleur d'une voiture, entre les mains d'un enfant, pourrait s'avérer désastreux. Il n'y a qu'à voir le dessin (laid) de ma maison (rose avec le toit jaune) réalisé par ma nièce de quatre ans (incompétente).

On ne fait pas beaucoup d'enfants, mais on les écoute peut-être trop. Dans une autre pub, une gamine qui compte encore sur ses doigts traite de services bancaires. À la fin, la petite sotte lance : « Banque Laurentienne, ça fait grandir ! » On s'entend (presque) j'en suis sûr (presque) pour dire que les banques sont les plus grands escrocs de notre société. J'entendrais ma fille s'enthousiasmer pour une banque, elle recevrait aussitôt une mornifle aussi grosse que sa connerie. Êtes-vous déjà allé attendre à la banque ? Avec un enfant ? Si vous voulez briser l'addiction de votre mioche aux banques, amenez-le attendre pour un peu de service…

Et la situation ne s'arrangera pas. Dans une autre pub, un père va reconduire son fils à l'aréna. En voiture, le débile profond est incapable de dialoguer avec son garçon, car il fait une fixation sur ses pneus Toyo. Parce qu'une vraie discussion père-cave/fils-moron, ça traite de pneumatique. À la fin, le père dit à son fils : « Tu sens cette adhérence ? » Et fiston, réjoui, s'enthousiasme : « Ouais ! Cool ! » Le signe annonciateur d'une nouvelle génération publicitaire d'abrutis…

# Jouer à la pub

**(19 octobre 2006)**

J'arrive enfin en ville. Dimanche, j'ai découvert les poupées Bratz. Pour le huitième anniversaire d'une de mes nièces, il était hors de question d'offrir des fruits frais ou un livre de Jacques Godbout. C'est la Bratz fever ! Finie la Barbie avec ses gros seins et sa petite tête. Désormais, les poupées Bratz ont une grosse tête et de gros mollets. L'avantage : elles tiennent debout sur leurs pieds, ce que ne réussissait pas la Barbie qui tenait à peine sur ses seins. En fait, les pieds des poupées Bratz sont leurs gros points forts. Elles peuvent aussi tenir couchées dans une poubelle. Cependant, pour se débarrasser de cette mode, patientons quelques années. Pour le moment, ma nièce est « addicte » aux poupées Bratz.

Ma nièce reçut assez de matériel Bratz pour occuper les adultes tout l'après-midi. Parce qu'une fois l'emballage-cadeau défait, il reste encore à sortir la poupée et ses accessoires de l'emballage du fabricant. Et puisque les poupées sont fabriquées en Chine, les emballages sont savamment étudiés pour que la poupée de plastique et ses accessoires de guenille ne s'abîment pas pendant le voyage en bateau. Pendant que les adultes découpaient les emballages à la scie mécanique, à titre d'oncle « poche » j'ai demandé à ma nièce si elle savait que les gens qui fabriquent ces poupées n'ont certainement pas les moyens d'en offrir à leurs enfants. Devant son incrédulité puérile, j'ai perdu le goût d'insister. Surtout, une tante sénile a cru bon de préciser que « anyway, les p'tites Chinoises sont pas en Chine : sont toutes icitte, à jouer aux Bratz ! » Et puis pourquoi péter la baloune d'une enfant alors que l'hebdo *ICI* me permet de péter celle de leurs parents ?

Avec les poupées Bratz, on assiste à la mondialisation de la mise en marché de poupées. Ce même dimanche, en plus de ma nièce, des centaines de petites Américaines étaient en train de déballer des poupées Bratz. En Europe, avec le décalage horaire, les parents achevaient d'ouvrir les emballages plastiques. Depuis 2001, la compagnie MGA Entertainement orchestre une mise en marché monstre : poupées, accessoires, film d'animation 3-D, vidéo-clip, émission de télé, jeux vidéo, CD musical, etc. Tout le bulldozer promotionnel ramasse l'enfance mondiale en un tas et accomplit le rêve de tout fabricant depuis Coca-Cola : un marché universel d'acheteurs qui veulent le même produit.

Ma nièce m'a conduit sur un site Internet dédié aux poupées Bratz. On y découvre le CV des diverses poupées, parce que chaque Bratz a son trait de caractère, son particularisme. Avant, seule notre imagination était nécessaire pour transformer notre G.I.Joe en cow-boy, en plombier ou en obsédé des Barbies. Aujourd'hui, MGA ne court aucun risque : il y a une poupée pour chaque boulot. Parce qu'on vend un kit à la mode pour vêtir chaque poupée.

Le slogan des Bratz est : « Les seules filles au top de la mode ! » et il s'agit bien de leur seule préoccupation. Dans de petits catalogues insérés dans les emballages, on découvre des accessoires « tendance », des items branchés, etc. MGA a même le culot de vendre des Bratz jumelles. Si, si : deux poupées pareilles appelées « Les jumelles ». Ironie du sort, ce dimanche, ma nièce a reçu deux poupées pareilles (manque de consultation entre les adultes, sorry...), mais il était hors de question qu'elle accepte d'en faire un couple de jumelles supplémentaire : « Les vraies Bratz jumelles existent ! Je les veux pour Noël ! »

On propose des poupées de chaque ethnie dont, bien sûr, l'inévitable poupée noire, Sasha. Elle avait des traits très fins, style Tutsi. Devant un tollé en coulisse, on a ensuite créé la poupée noire aux traits négroïdes plus prononcés, appelée Félicia. Ainsi, vos enfants peuvent jouer au génocide rwandais. D'ailleurs, le site Internet compte un forum où le racisme s'avérait le grand débat pour les jeunes cybernautes. Puisque Félicia se vendait

18 dollars, les autres 25 dollars, certaines y voyaient du racisme. N'estimons donc pas que les grands débats de société soient évacués de la culture Bratz…

Les enfants ne sont pas en mesure de tout comprendre ce qu'on lit sur le site Internet. Pourtant, le site est très explicite et déclare sans ambages: « Ciblant les filles de tout âge, les poupées Bratz puisent leur inspiration dans la publicité moderne et les images de synthèse. » Un phénomène de synthèse pour une enfance de synthèse. Mais comment en vouloir à ma nièce de « jouer à la pub », elle qui a vu ses parents la veille profiter de la dernière belle journée d'automne autour de la maison pour jouer au petit couple Canadian Tire ?

La poupée Denis Coderre:
elle tient sur ses mentons.

# Au contraire, tous !

**(26 octobre 2006)**

C'est le monde à l'envers. Lucien Bouchard considère que je ne travaille pas assez*. C'est bizarre parce que j'ai sincèrement l'impression contraire. Remarquez, mon jugement s'avère peut-être déformé par les calmants que je prends le soir pour dormir et par les excitants que je prends le matin pour faire une bonne grosse journée productive de travailleur autonome sans protection qui doit sauver sa peau, préparer sa retraite et payer la dette contractée par la génération de Lucien.

Eh ! Lucien ! *Who the fuck are you???* Le premier gros bébé « explosif » qui déserte le bateau quand les matelots veulent décider de la direction, qui fait des caprices bancals penchant toujours du même bord qui n'est jamais celui du vrai monde.

Bah, et puis peut-être que Lucien ne réfléchit simplement pas assez avant de déclamer ses pensées de sa voix de stentor, rassurant ainsi tous ceux qu'une voix de stentor rassure. Comment lui en vouloir ? Nous aussi, si on

* Le sacré Lucien a prétendu que si les Québécois travaillaient davantage, ils (lui) produiraient davantage de richesses.

s'arrêtait pour réfléchir, on découvrirait peut-être qu'on vit complètement au contraire du bon sens. Et si on essayait de voir le monde du point de vue contraire ? Voyons voir…

• Et si, au lieu d'essayer de faire toujours plus avec moins, on s'organisait pour en faire toujours moins avec plus ?

• Et si on payait tout de suite pour avoir plus tard ? Est-ce qu'on serait autant endetté ?

• Et si, à cause de ces nouveaux comportements, on pouvait ne travailler que deux jours sur sept ?

• Et si la mode était d'user nos vêtements au lieu de les changer selon les goûts des autres ?

• Et si le poil, puisqu'il pousse, devenait la norme ?

• Et si on publiait les journaux seulement quand il se passe quelque chose au lieu de publier des journaux le plus souvent pour provoquer des choses qui s'y retrouveront de lendemain ?

• Et si c'était notre téléviseur qui nous regardait, qu'est-ce qu'il verrait ?

• Et si on se servait de nos dieux pour faire rire et non pour faire la guerre ?

• Et s'il y avait des élections quand les électeurs en ont marre et non quand un gouvernement le décide ?

• Et si, Lucien, notre bonheur était le véritable objectif commun ? En travaillant moins ou en travaillant davantage, selon les goûts de chacun. Où lit-on qu'un pays qui réussit a les plus grosses statistiques de production (qui concordent souvent avec les plus grosses statistiques de pollution) ? Ce n'est pas un concours de celui-qui-a-la-plus-grosse-didine. La Chine produit en fou : je n'y vivrais pas 10 minutes.

Eh ! Je relisais mon contrat et je réalisais que je suis payé pour 4000 caractères, espaces comprises. Alors, cette semaine, et si je terminais ma chronique par des espaces* ? Allez, on se libère des opinions, on fait une pause de conneries et, jusqu'à la fin de ma chronique, je vous invite à penser à ce que vous voulez. Riez de ce qui vous fait rire. Faites l'amour.

Bonne semaine.

* J'adore trouver ces entourloupettes qui me permettent de faire moins que les 800 mots requis…

# Jean-François Mercier : ô génie !

**(2 novembre 2006)**

Mardi dernier, 7 novembre, j'ai vécu un moment historique : j'ai assisté à la première du one man show de l'humoriste Jean-François Mercier*. Yvon Deschamps peut mourir tranquille : il existe maintenant mieux, plus grand, plus drôle et plus exceptionnel.

Rares sont ces jours où l'on est persuadé d'avoir vécu un moment de grâce. Cette fois, ça y est. En assistant à l'éclosion d'un tel génie, c'est comme si Mozart, alors qu'on célèbre le 250e anniversaire de sa naissance, avait décidé de passer le flambeau devant nos yeux. Je ne m'immiscerai pas souvent dans le club sélect des critiques de spectacles (je n'ai pas cette pertinence**), mais il m'était impossible de garder pour moi l'enthousiasme éprouvé lors de ce spectacle humoristique.

De toute façon, je serai une voix parmi d'autres. Car, cette fois, aucun critique ne

* Le plus marrant de cette critique de ce spectacle, c'est qu'elle est parue cinq jours avant la date mentionnée de la première médiatique. Du grand professionnalisme… Ou plutôt : une vraie amitié professionnelle…
** Ironie pure.

sera dupe : Jean-François Mercier fait preuve d'une maestria incomparable, d'une intelligence rare, d'un charisme inouï et d'une drôlerie inégalable.

Formé à l'École nationale de l'humour, Jean-François Mercier a longtemps œuvré dans l'ombre de séries télé, à titre d'auteur. Les plus jeunes l'ont découvert grâce au *Mike Ward Show* où il incarnait avec un incontestable brio le rôle du Gars Frustré. Puis les plus âgés l'ont découvert dans la peau d'un travailleur social sympathique dans le feuilleton *Virginie*. Maintenant, on peut le découvrir incarnant son propre personnage et c'est ainsi qu'il est le plus efficace. D'ailleurs, Mercier s'avère l'humoriste dont tous les comédiens devraient s'inspirer, ne serait-ce que pour apprendre d'un maître des notions aussi simples que la présence, le contrôle et la virtuosité.

Mercier offre un spectacle où l'on rit du début à la fin. Une performance aussi drôle que brillante. La finesse de Mercier : parvenir à nous faire rire de sujets périlleux. Ce magicien manipule notre pensée, parvenant sans mal à nous faire croire qu'on adhère au pire, comme son personnage de cave. Car, malgré l'intitulé du spectacle, *Le show du gros cave*, il n'en est rien : ce Mercier est dangereusement brillant. Ses textes deviennent le nouvel évangile de l'humour québécois. Qu'attendent les écoles pour mettre ces textes à l'étude obligatoire ?

Parmi les ficelles comiques tirées par l'humoriste, on notera parfois la présence d'excès lubriques aussi à propos que délicieux. Mercier intellectualise la vulgarité, la transforme en une matière pertinente qui déjoue les mieux-pensants. On est pris dans les filets du maître; ne reste plus qu'à rire. Car ce que les jaloux appelleront gratuitement de la vulgarité s'avère les effluves d'une langue vivante et vraie, dans laquelle on se reconnaît. Il s'agit de la langue du vrai monde, comme celle du conteur Fred Pellerin, mais sans chichi pseudo-folklorique gnangnan.

D'ailleurs, à lui seul, Jean-François Mercier est le folklore de demain. Mercier maîtrise l'oralité mieux encore qu'un tribun tel que Lucien Bouchard (et a le mérite d'avoir réfléchi ses conneries, lui…) et communique même son goût de l'oralité au public. Musique, poésie, ce côté cru de monsieur Mercier devient huitième art. Comme Diane Dufresne se drapait des plus étonnants atours, Mercier revêt la vulgarité qui prend alors des allures soyeuses. La « vulgarité » devient ravissement et contribue à créer une aura d'une indéfinissable sensualité autour de l'humoriste.

Parsemé d'une foule d'allusions aussi drôles que coquines, ce spectacle fait naître une tension sexuelle qui n'est pas sans rappeler les prestations d'Elvis Presley à ses débuts. De toute façon, le choc est le même chez la clientèle féminine. Charmées par l'humour de Mercier, elles en redemandent ! Pour preuve, la femme qui m'accompagnait me confia qu'aux toilettes des dames, lors de l'entracte, on ne tarissait pas d'éloges sur le physique et le charme de l'homme. Même, on ne tarissait pas, point. Mercier émoustille, excite, suscite un désir inconnu jusque-là. Femmes-fontaines, méfiez-vous !

Si j'étais gai, je succomberais, mais je ne peux que l'envier. Ou mieux, m'ouvrir à son enseignement et apprendre de son attitude plus grande que nature. Mercier est le Nouvel Homme.

Débaptisons les Olivier (Olivier qui, de toute façon ?) pour les appeler les Mercier. Pour la santé nationale, si j'étais médecin, je prescrirais de voir le one man show de Jean-François Mercier tant il fait du bien. On en ressort plus intelligent et, mieux encore ! plus mince, tous nos muscles ayant fonctionné, tant ceux du bedon que ceux de la caboche.

Si vous n'êtes pas d'accord avec moi, c'est que la jalousie vous mène à bouder votre plaisir. C'est parfois même trop intelligent pour moi et l'extase sera de retourner le voir une deuxième fois. Avec l'émergence d'un tel talent, on peut enfin déclarer sans se tromper, rassuré, que « le 3e millénaire part fort* ! »

* Un jour, une recherchiste de télé avec qui je discutais me lance : « J'ai lu une critique du show de Mercier, me souviens pus où, mais paraît que c'est un génie ! » Je ne l'ai pas contredite…

# Non

**(9 novembre 2006)**

Mon rédacteur en chef (qui me corrigera en écrivant « éditeur adjoint ») au *ICI*, comme tous les boss, est quelqu'un d'agréable tant et aussi longtemps que je n'ai pas affaire à lui. En plus, il a l'air encore plus malpropre que moi. J'ai presque dédain d'être vu orné de lui. S'il a décidé de m'inviter au resto thaïlandais la semaine dernière, c'est qu'on était le midi et qu'il avait quelque chose à me dire en même temps qu'il avait faim et qu'il me polluerait l'air avec son haleine fétide de patron.

On se fait des films avant certaines rencontres. Voici les synopsis des quatre courts métrages que j'ai imaginés avant notre dîner. Je m'attendais à :

1. une augmentation parce qu'il aime trop ce que j'écris ;

2. une réprimande parce que j'ose écrire à l'avance des critiques de spectacles sans les avoir vus (cf. ma chronique de la semaine passée… Comme si c'était bien différent des critiques qui critiquent sans avoir fait…) ;

3. l'aveu de son homosexualité et à la confidence de son rêve que je touche son pénis ;

4. l'annonce de la perte de son portefeuille et à la découverte qu'il m'invitait uniquement parce qu'il avait faim sans avoir de quoi payer.

Évidemment, comme chaque fois que l'on se fait des films, rien de tout cela n'est arrivé. Non. Ce que Sylvain Prevate voulait, c'était :

1. insister pour que j'écrive dans un blogue sur Canoë ;

2. s'attarder sur le plaisir que j'éprouverais à écrire dans un blogue sur Canoë ;

3. m'énumérer les 18 formulations qu'il avait développées pour m'entretenir du seul avantage qu'il y a à alimenter un blogue sur Canoë ;

4. me rappeler, au moment du digestif, que « blogue à part » (c'est le genre de mot d'esprit qui séduit mon éditeur adjoint…), ça serait cool que je blogue.

Son mandat, il ne le lâchait pas. Comme une espèce de Lucien Bouchard qui insiste pour qu'on règle son pas sur le sien. Conversationnellement parlant, ça avait l'air de ça :

Lui : « Les blogues, ça permet de réagir au quotidien. Exemple, quand la grosse Payette a dit que la télé d'aujourd'hui est d'la marde, t'aurais pu réagir en direct ! Pas une semaine plus tard ! »

Moi : « Ouan, mais une semaine de délai, des fois, ça évite d'écrire des conneries. Le jour même, j'aurais peut-être écrit que madame Payette a atrophié le cerveau du monde avec sa bouillasse, mais une semaine plus tard j'aurais peut-être jugé bon de ne pas en parler. »

Lui : « Là, si tu veux réfléchir, c'est différent. Moi, je te parle pas de réfléchir, je te parle d'écrire dans un blogue. »

Moi : « Et on déduirait tous les caractères écrits en blogue de ma chronique hebdomadaire du *ICI* ? »

Lui : « Non. C'est en plus. »

Moi : « Et pour combien de plus ? »

Lui : « Euh, non mais, euh, je... non. C'est compris dans le prix. J'te l'avais pas dit ? »

Moi : « Ah bon. Alors, si je comprends bien, je ferais de l'overtime gratisse pour Pierre Karl ? »

Lui : « Ne parle pas de PKP dans ta chronique. J'veux pas d'ennuis. J'ai un enfant, une hypothèque... »

Ça me prend déjà tout mon petit change pour écrire une chronique par semaine, je n'alimenterai certainement pas les multiplateformes médiatiques de tout l'empire Quebecor pour les beaux yeux de mon éditeur adjoint, yeux qui ne sont pas si beaux et qui dénotent un grave problème au foie.

Alors, j'ai dit à mon boss que mes lecteurs et lectrices sont des gens allumés qui ont des vies. Je sais que vous me lisez en déplacement dans le transport en commun, en prenant un café lors d'une pause et que vous avez autre chose à faire qu'aller lire sur Internet mes conneries quotidiennes, que vous n'en avez rien à foutre que j'aie chié dur, que j'aie mangé des céréales ou que je déclarasse que le monde entier est cave au complet.

C'est parce que j'ai trop d'estime pour vous que je n'irai pas polluer l'espace virtuel. Moi, mes lecteurs et lectrices, dès qu'ils ont refermé le *ICI*, au lieu de niaiser à lire des blogueurs qui font de l'étirement d'humeurs, ils mangent des fruits, font de l'exercice ou du sport, lisent un bon livre, vont au cinéma, jouent avec leurs enfants, se pratiquent à en faire. J'imagine votre acquiescement et vous me faites du bien. Même, je coupe un antidépresseur pour marquer le coup.

Bref, son blogue, il peut se le mettre dans le péteux. Et tiens, pourquoi pas un site où l'on verrait tout un tas de patrons avec leurs irritantes exigences dans le rectum ? Ça serait hot ! J'irais peut-être alors niaiser sur le Net…

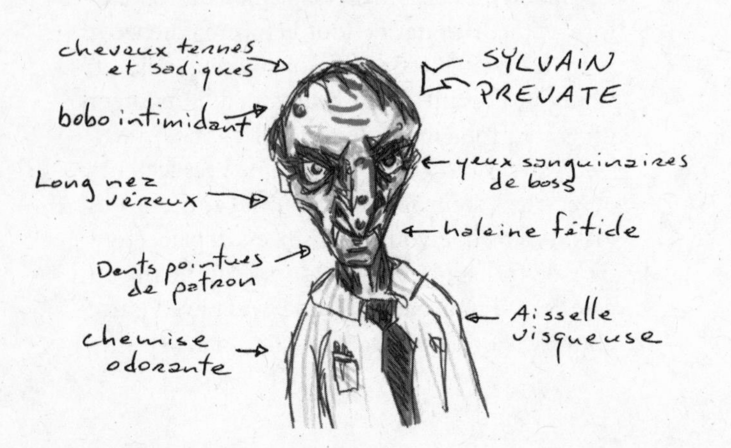

# Hip, hip, hip!

**(16 novembre 2006)**

Dix! Déjà! Ça passe si vite en bonne compagnie! Déjà ma dixième chronique dans *ICI*! Eh que le temps passe donc vite! Surtout entre chaque date de tombée… Je me demandais comment souligner ce 10e anniversaire. C'est alors que m'est venue l'idée de vous donner la parole. Après tout, plusieurs m'écrivent et j'ai toujours grand plaisir à vous lire. Cette fois, mieux encore, je vous réponds!

Une lectrice s'ennuie de ne plus voir ma face de pet à la télé. Eh ben, réjouis-toi, lectrice: tu auras l'immense plaisir de me voir à la télé, à la SRC, dans le 11e épisode de *Tout sur moi*. En plus, j'y joue l'acteur! J'entends déjà Christian Bégin s'insurger contre le fait que des auteurs deviennent maintenant acteurs. Je te rassure, Cricri: je ne joue pas vraiment, comme tu sauras l'apprécier en me voyant dans la série. L'auteur Stéphane Bourguignon a cru bon de m'écrire un rôle sur mesure: j'y joue moi-même. Pourtant, s'il y avait eu des auditions, je n'aurais peut-être même pas réussi à obtenir mon propre rôle tant je suis mauvais*. Je suis à la caméra ce que

* Depuis, je me suis vraiment amélioré. Si une femme m'invite à manger, je peux jouer la viande…

les mentons sont à Denis Coderre : peu subtil. Au moins, cela permet d'apprécier à quel point Macha Limonchik est une grande actrice. Elle le prouve en me donnant la réplique comme si j'étais bon.

Un lecteur s'inquiétait de n'avoir toujours pas lu le mot « plote » dans mes chroniques. Si j'en juge par sa signature anonyme, je crois qu'il ironisait parce qu'il ne m'aime pas beaucoup. Néanmoins, au cas où l'admiration de « Le zigouilleur de chroniqueur » l'aurait rendu trop timide pour signer de son vrai nom, voici pour toi, mon brave, le mot « plote » mis en scène dans une blaguette intitulée « Où s'en va la télé, nom de nom !?! » :

« Parmi les nouveautés à la télé, bientôt, il y aura *Décore ta plote*. Le concept est simple : pendant que le mari est parti, l'équipe arrive chez l'heureuse gagnante de la semaine. »

Une lectrice me signalait que je ne parlais pas beaucoup de l'Afrique, malgré le remarquable voyage que j'y fis cette année. C'est vrai, maman. Cependant, le décalage n'est pas assez important. En Afrique, dès qu'un individu reçoit un salaire, il devient illico le soutien de toute sa famille élargie, du plus vieil aïeul au plus lointain cousin. Dans l'essai *L'Afrique peut-elle s'en sortir ?* un chercheur suédois a décrit ce phénomène comme étant « l'économie de l'affection ». Avouez que le décalage entre le tiers-monde africain et la description de Chloé Sainte-Marie sur la situation pénible des aidants naturels rend tout mon voyage trop banal. Pour un peu d'exotisme, je devrai aller plus loin…

Un lecteur me demandait si j'avais remarqué qu'il en coûtera cinq milliards de dollars pour creuser une troisième voie au canal de Panama qui traverse tout ce pays de l'Amérique latine et qu'il en coûtera près de un milliard au métro pour traverser notre rivière des Prairies. Voilà qui est maintenant remarqué.

Enfin, une lectrice me demandait si j'avais commencé à développer des trucs en tant que chroniqueur hebdomadaire. Oui, Nelly ! Voici trois trucs développés en 10 chroniques :

1. Pour éviter d'être emmerdé une fois la chronique imprimée et distribuée un peu partout, faire porter la responsabilité d'une blague ou d'une opinion sur autrui. Par exemple, dans ma cinquième chronique, « À condition d'homme », en la relisant au ralenti, on découvre que j'y manipule habilement le lecteur en laissant entendre que je n'approuve pas une flèche misogyne de mauvais goût. J'écris : « Les mauvaises langues diraient pourtant que les femmes auraient besoin d'un GPS pour pousser la tondeuse à gazon derrière la maison. »

Appréciez l'action d'un « Les mauvaises langues diraient… » qui me libère de toute responsabilité ! Un chroniqueur télé à *La Presse*, a poussé cette technique à un niveau encore plus diabolique. Plutôt que de dire lui-même qu'il n'apprécie pas la série *C.A.*, il est allé sur Internet chercher un quidam qui la détesterait pour lui. Machiavélique, non ?

2. Pour avoir l'air intelligent, plusieurs options. La première, citer des livres. Les essais valent mieux que les bandes dessinées. Quand on ne trouve pas mieux, se citer soi-même. Aussi, l'habile insertion de la conjugaison au passé simple donne un lustre inégalable à une chronique autrement misérable. Je le fis à l'occasion avec succès. En dernier recours, écrire « Wajdi Mouawad », même sans raison pertinente, clôt le bec des plus difficiles.

3. Quand on manque d'inspiration, faire croire qu'on donne la parole aux lecteurs pour passer ses restants d'idées qui traînent dans ses cahiers. Sinon, souligner un anniversaire inutile.

Bonne 10e semaine avec moi !

# Vidanges lucides

**(23 novembre 2006)**

« Il faisait chaud au Salon du livre », déclarait mon collègue Michel Vézina, avec une extrême pertinence, dans son blogue de jeudi dernier. Et si monsieur Vézina avait été dans mes culottes, il en aurait transpiré un coup. Car en fin de semaine, pour faire monter ma pression, l'économiste Pierre Fortin y est allé d'une autre sortie publique aux infos de la radio de la SRC. Selon lui, face à la compétition chinoise, il faudra travailler plus fort, plus mieux, plus davantage, plus compétitivement, plus toute si nous voulons conserver notre niveau de vie.

Il me suffit d'entendre un de ces « lucides » prendre le crachoir pour avoir aussitôt la température qui augmente et la craque du cul qui sue. Cet hiver, je vais chauffer aux conneries de Pierre Fortin. De quelle ostie de planète de débranchés il vient, ce Fortin-là ? Économiste, il doit être pas pire en maths, j'aimerais ça qu'il calcule pour moi les heures qu'il me reste dans ma semaine pour que je puisse travailler davantage. C'est comme rien, il connaît assurément des trucs que j'ignore. Mais bon, je vais essayer d'écrire ma chronique plus vite et plus mieux. Ça commence comme ceci: EH, FORTIN! C'EST PAS LE NIVEAU DE MA VIE QUE JE VEUX AUGMENTER, C'EST SA QUALITÉ! JE NE SUIS PAS ÉCONOMISTE, MAIS JE RÉALISE QUE PLUS JE TRAVAILLE POUR AMÉLIORER MON NIVEAU DE VIE, PLUS MA QUALITÉ DE VIE SE DÉGRADE!

Comme d'autres caves, je travaille en fou, mais ceux qui portent une tête sur les épaules et qui travaillent raisonnablement n'ont aucune envie d'en faire plus. Et ce n'est pas moi qui vais leur lancer la pierre. Surtout, en ce moment, il m'est inconcevable de travailler davantage parce que je fais déjà de l'overtime sur mes vidanges.

À Saint-Hyacinthe, comme ailleurs, on va à l'encontre de la volonté du gouvernement canadien et l'on tente de préserver un peu la planète en récupérant dorénavant les déchets de table. À partir de maintenant, il faut que je classe mes ordures en trois sortes de couleurs de bac. Selon le protocole de Saint-Hyacinthe, qui marque la phase anale municipale, mon bac vert devra contenir les matières récupérables, mon bac brun les déchets de table et de jardinage et mon bac gris le reste de la cochonnerie. Claude Meunier était un visionnaire: l'obsession des vidanges est maintenant institutionnalisée. Malheureusement, comme tout ce qui est chiant, c'est profitable pour tous et pour l'environnement. Alors, on s'y met.

Or, l'étude de mes vidanges me permet de réaliser ceci : plus je travaille, plus je consomme et plus j'achète des cochonneries chinoises qui congestionnent mon dépotoir municipal et qui m'obligent maintenant à passer le week-end le nez dans mes vidanges.

Fortin, je ne veux pas travailler plus vite que les Chinois pour faire des cochonneries plus petites que les Chinois qui vont péter plus vite que celles des Chinois. Je veux plus de temps pour moi et être heureux. Ça serait le fun si, dans une vie, on n'avait pas à travailler comme des zoufs parce qu'il faut acheter quatre fois la même niaiserie. Pourquoi faut-il que j'en sois rendu à mon quatrième téléphone sans fil dans la maison parce que sitôt échappé, sitôt brisé ? Au lieu d'une taxe sur les importations, les douaniers devraient saisir leur cochonnerie et la pitcher à terre. Si elle fonctionne encore, à ce moment-là on en autorise la vente.

Dans le fond, si on veut fourrer le reste du monde et les Chinois, construisons avec les plans de quand c'était gros, solide, durable. Au Québec, l'astuce serait d'aller à contre-courant et de fabriquer des appareils qui durent toute une vie. Tu t'achètes un téléphone, c'est fait pour la vie, coché, tu passes à autre chose, next ! Grâce à cet usinage durable, fini la cochonnerie chinoise qui prend toute la place dans mon bac et les miettes de temps libre qu'il me restait. L'important, ce n'est pas le poids de mon téléphone ni sa couleur attrayante : c'est le monde qui parle dedans.

Fabriquons des choses dures, robustes, inusables. On va se démarquer. Dès qu'un produit devient chinois, il devient fragile, en plastique, avec des pièces irremplaçables, des modules pas réparables, des couleurs attrayantes qui se démodent et des formes voulues pratiques, mais qui en rendent l'usage aléatoire. Une balayeuse rouge avec un bec profilé pour aller dans les coins jusque-là inexplorés de mon salon, ça toffe pas deux saisons. Ma grosse shop-vac industrielle noire, elle, n'est pas tuable. Qu'est-ce qui est arrivé avec la colle de semelle qui collait ? Pourquoi avoir changé la recette ? Sauf pour nous vendre davantage de running shoes que je dois mettre dans le bac gris. L'important, ce n'est pas mes souliers : c'est là où ils me conduiront.

Un soir, l'été dernier, lors d'un orage ; panne d'électricité. Je ne pouvais plus travailler. Alors, je me suis assis sur ma galerie, à l'extérieur, et j'ai regardé le ciel péter en me remplissant les narines de l'odeur de la pluie dans le gazon. Ce fut mon meilleur moment de l'année 2006. Avoir su que ce moment d'inactivité inopinée mettait Fortin en furie, j'en aurais profité pour éjaculer. Faut que je vous laisse, je dois aller jouer dans mes vidanges.

# Les peurs épaisses

**(30 novembre 2006)**

Avec le temps, plusieurs peurs deviennent obsolètes. Quand j'étais petit, on avait peur d'être avalé par la souffleuse à neige, « endormi dans un fort trop secret » : il n'y a plus de neige. On avait peur de se perdre dans le bois : il n'y a plus de forêt. On avait peur du loup : ce dernier est en voie d'extinction. Mais la peur originelle des Gaulois, que le ciel leur tombe sur la tête, est maintenant à notre agenda, à la page 2050. D'ici 50 ans, le réchauffement climatique aura provoqué la disparition de centaines d'espèces animales, et la désertification aura déplacé des centaines de millions de gens qui se chercheront un coin de terre sur une planète plus petite puisque envahie par l'eau générée par la fonte des glaciers. Achetez vite un condo sur le Mont-Orford, le lac Champlain s'étalera au bout de votre terrain.

La peur de ce désastre annoncé devrait provoquer assez d'anxiété pour nous obliger à réagir. Malheureusement, au lieu de titrer chaque jour avec des inquiétudes pertinentes, le *Journal de Montréal* nous distrait en multipliant les peurs épaisses. En fait, on est comme des automobilistes qui s'inquiètent de leur radio qui griche alors qu'on roule sans freins.

Pour le fun, et parce que c'est plate le dimanche, je suis allé à la Bibliothèque nationale du Québec consulter les archives du *Journal de Montréal* des trois derniers mois et j'ai dressé pour vous un florilège des peurs les plus caves lancées par cette publication :

• *Tuyaux de cuivre : prenez garde !*

La flambée du prix du cuivre entraîne le vol de tuyaux de cuivre qu'on retrouve souvent sous les vieilles maisons. Surveillez vos tuyaux de cuivre.

• *Piercing : à vos risques !*

13 % des gens ayant un piercing dans la langue vont se casser une dent au cours de leur vie. Si ce piercing est en cuivre, on pourrait vous voler la langue.

• *Seins refaits : attention au suicide !*

On a observé un taux de suicide plus élevé de 73 % chez les femmes avec des implants mammaires. Si ces implants sont en cuivre, on pourrait vous voler les boules.

• *L'avion : risque d'épidémie !*

Les déplacements en avion favoriseraient la propagation de la grippe aviaire (alors qu'à part les gens qui enculent leur poule crue, on n'a observé aucun cas de transmission à l'homme…)

• *L'eau : une menace permanente !*

Le *Journal de Montréal* signale que le sexe des poissons change à cause de la pollution. De plus, nos piscines publiques seraient des dangers tout aussi publics. Parce que j'en ressortirais avec une vulve ?

• *Les cours de récréation rendent les enfants agressifs !*

L'aménagement des cours de récré où l'asphalte est parfois crevassé peut agir sur le comportement des enfants et pourrait les rendre agressifs. Au moins, ça expliquerait du même coup l'agressivité des adultes sur les routes pleines de trous…

• *Salive : un péril pour les enfants !*

Un bambin se serait étouffé avec sa salive alors qu'il avait été laissé sans surveillance. Laissé sans surveillance parce que ses parents surveillaient leurs tuyaux de cuivre ? En ce moment, surveillez-vous la salive de vos enfants ?

• *Anorexie : des sites Internet en font la promotion !*

Moi, sans chercher longtemps, je peux aussi trouver des sites de pédophilie, néonazis, terroristes, le site personnel de Denis Coderre… Dans le même dossier sur l'anorexie, on veut nous épouvanter au maximum en ajoutant que le ministre Couillard souhaite en finir avec l'anorexie. Cette menace s'avère assez effrayante puisque chaque fois qu'un ministre veut régler quelque chose, ça empire…

• *L'asthme cause la carie!*

L'inhalateur contre l'asthme causerait la carie chez les enfants. Pourtant, dans un autre article de peur concernant les gangs de rue, on signale que les vilains chefs de gang payent des enfants de neuf ans avec des bonbons afin qu'ils commettent des délits. Si votre enfant asthmatique a des caries, ne vendrait-il pas plutôt de la drogue?

• *Des enfants traumatisés par leur prénom!*

Vérifiez si votre enfant «explosif» (nouveau synonyme journaldemontréalien pour dire «tannant») ne se prénommerait pas Chenille, Christ ou Coderre. Ou alors, visitez sa cour de récréation. Sinon, avec un peu de chance, il gérera mal sa salive…

• *Lits superposés: danger!*

D'un lit à deux étages, on pourrait tomber. Grimper aux arbres aussi, mais il y a de moins en moins d'arbres. (Note: On peut faire d'une pierre deux coups en faisant porter le casque de vélo à nos enfants qui dorment au deuxième étage ou faire dormir nos enfants sous la maison, près des tuyaux de cuivre.)

• *Manger gras rend stupide!*

Et manger gras en lisant le *Journal de Montréal* rend stupide et peureux…

J'ai un truc pour vous. Pour tester la valeur de mes peurs, je me les mets à l'épreuve dans un titre de film hollywoodien. Si ça sonne con, je ne m'en encombre pas. « La malédiction du lit à deux étages », « Les viaducs contre-attaquent », « Les patates frites de la mort »… Des fois, on aurait envie que les journalistes du *Journal de Montréal* mesurent si on devrait craindre le saut sans parachute du haut d'un immeuble. Que nous réserve le *Journal de Montréal* en 2007 ? Les MTS transmissibles par le web ? La télé rendra analphabète ? Un album-hommage à Pierre Flynn ?

Le casque à dodo :
idéal pour les enfants
qui tombent des lits
superposés!

# Cordes oubliées

**(7 décembre 2006)**

Dans son ouvrage *Les nouvelles cordes sensibles des Québécois*, l'auteur Jacques Bouchard brosse un récent tableau de la nation québécoise. L'idée des 36 cordes sensibles est de créer un dénominateur commun qui nous ressemble et nous distingue, nous, les Québécois exclusifs. Ludique, monsieur Bouchard suggère de s'amuser en ajoutant de nouvelles cordes ou en bonifiant des cordes qu'il a lui-même développées. Je joue donc le jeu avec plaisir et vous propose ici quelques cordes oubliées…

• *La « pensée que »*

Au Québec, « je pense que… » est certainement l'entrée en matière la plus souvent utilisée dans une conversation. On aime « penser que ». Que n'importe quoi, peu importe, pour autant qu'on « pense que ». On aime penser qu'on pense. Et, en y pensant bien, on pense encore mieux qu'on pense. Mieux encore, si on peut penser au téléphone en participant à une tribune téléphonique, on aura le sentiment de penser pour les autres parce qu'on pensera penser ce que les autres ont le tort de n'avoir pas encore pensé.

• *Haine mesurée*

Je pense que le Québécois « n'haït » jamais au complet. Ce ne serait pas bien. Il déteste George W. Bush, mais s'empresse de souligner que tous les Américains ne sont pas comme Bush. Il abomine Céline, mais précise qu'elle chante très bien. Il n'aime pas trop les légumes, mais adore les frites.

• *Sentimentalisme pratique*

Le Québécois est fier d'avoir pogné le truc, au temps des Fêtes, pour envoyer des cartes de souhaits électroniques de Noël par courriel. Son bonheur est plus grand de sauver 51 cennes que d'y aller de souhaits sincères et manuscrits. Mieux, ce grand fou sentimental est convaincu d'émouvoir le récepteur de l'envoi.

• *Animosité automatique*

Le Québécois qui reçoit une carte de souhaits électronique de son employeur développe aussitôt une sincère aversion pour l'envoyeur en plus d'avoir la profonde conviction d'être pris pour de la marde.

• *Écologisme du samedi*

Dès que Wal-Mart vend des accessoires fabriqués en Chine qui lui permettraient d'être un peu plus écologique, le Québécois se les procurera en allant faire ses commissions. Promis.

• *Endettement calme*

Le Québécois n'a pas les moyens, et ça l'arrange. Devant les splendeurs d'un set de salon en vinyle, s'il le faut, il repoussera le paiement jusqu'aux héritiers sur son testament. C'est sa façon de donner au suivant. Qui paye ses dettes s'enrichit ? Alors, le Québécois sera riche un jour. Le Québec endetté ? So what ! Mario Dumont devrait changer son discours. Lorsqu'il s'oppose à n'importe quoi et son contraire en déclarant que « le gouvernement n'a pas les moyens », Mario ne semble pas réaliser que le Québécois n'a pas davantage les moyens de quoi que ce soit, mais ça ne l'empêche de rien.

• *Gratuité pédestre*

Le Québécois aime marcher gratisse. Ah, le bonheur de marcher gratisse dans la rue pendant le Festival de jazz ! Le jazz est accessoire. Ce serait le Festival des injures, aucune importance : tant qu'on y marche gratisse. On aime aussi les parades derrière lesquelles on peut marcher gratisse. Et tant pis s'il n'y a ni festival ni parade : on ira marcher gratisse au centre commercial.

• *Non-responsabilité*

Le Québécois n'est pas responsable. Son enfant n'est pas élevé comme de la marde : c'est à cause de la télévision. Le Québécois ne parle pas tout croche : il subit le mauvais exemple des humoristes. Il ne conduit pas son vélo imprudemment : les pistes cyclables sont mal conçues. Il ne s'est pas noyé : c'est l'eau qui était trop humide.

• *Immunisation à Yves Corbeil*

Après Benoît XVI™, Yves Corbeil est certainement l'homme à la profession la plus inutile au monde. Non content d'être le porte-parole du rêve vain de la loterie, il prête sa carrière à Corbeil Électronique. Le Québécois a développé une solide tolérance à Yves Corbeil, un peu comme on tolère un désagrément permanent, une porte qui grince, une table bancale ou un bobo de bouche.

• *Accablement déraisonnable*

Le Québécois aime être accablé par le temps qu'il fera. Non content qu'il fasse chaud, le Québécois veut que le bulletin de météo lui signale qu'un facteur humidex rendra cette chaleur accablante. Non content qu'il fasse froid, il espère un facteur vent qui lui fera casser les dents dans yeule. Dès qu'on annoncera une chute de marde, le Québécois souhaitera qu'on en prédise la texture.

• *Taquinerie*

Le Québécois est taquin et s'amuse déjà en voyant le Parti libéral du Canada pogné avec

Stéphane Dion comme chef. On aime détester Stéphane. D'ailleurs, on l'élira certainement chef du gouvernement pour cette raison. Le Québécois agit au sein d'une organisation sociale pareille à celle des singes bonobos. La paix du groupe de bonobos est maintenue par l'existence d'un bouc émissaire. Lorsque des chercheurs ont retiré du groupe un bonobo martyrisé par ses semblables, on a pu remarquer une accentuation de la violence et une baisse de la sexualité. Avec l'arrivée de Stéphane Dion à l'avant-scène, ça va baiser dans les chaumières! Bon sexe!

# Bilan 2006?

**(21 décembre 2006)**

Dans le film *La Haine*, le héros tombe d'un immeuble. Pendant sa chute, avant qu'il ne s'écrabouille, il se répète: «Jusqu'ici, tout va bien.» 2006 est une longue chute qui se poursuit, mais fiou, jusqu'ici, tout va bien. Ne changeons rien.

**On dirait le Sud…**

L'hiver est de retour, mais, rassurez-vous, c'est peut-être le dernier. En 2006, le gouvernement conservateur canadien a travaillé activement à réduire l'hiver. On aurait préféré qu'il réduise le chômage, les problèmes en santé, ses dépenses militaires, mais on va commencer par le frette. Quand il fera chaud, on sera plus à l'aise pour œuvrer à réduire le reste, à commencer par le niveau de l'eau qui aura monté. Mais ne craignons rien: le gouvernement conservateur s'opposera certainement à la fonte des glaciers.

Un signe imminent de la catastrophe: quand tous les sommets des montagnes québécoises seront privatisés. Pour le moment, le réchauffement climatique permet aux golfeurs de jouer jusqu'en décembre. J'adore le golf:

ça rassemble tous les gros boomers gavés au même endroit et, pendant ce temps-là, partout ailleurs, on a la paix.

**Année d'innovations...**

2006 marque l'apparition de deux nouvelles façons de se suicider. D'abord la façon Boisclair™ : au lieu d'avaler 200 valiums avec un grand verre de gin, montez en boucle trois heures de discours de Boisclair et prenez un bon lait chaud, vous ne vous en relèverez pas. Sinon, caricaturez Mahomet, sans omettre de le traiter de grosse patate.

**Montréal, nombril de son monde...**

Deux événements n'ont retenu l'attention d'absolument personne cette année. Les « Outgames » où l'on espérait voir un tas de belles lesbiennes s'écarter la touffe pour se lécher la motte et « Montréal, capitale mondiale du livre ». Chaque mois, une personnalité était proclamée « ambassadeur » de l'événement littéraire (!). Il y eut le docteur Réjean Thomas, Chloé Sainte-Marie, l'athlète Bruni Surin, la comédienne Sophie Cadieux, l'animateur Paul Houde, le chanteur Tomas Jensen et le sympathique père Noël. Remercions les organisateurs de ne pas nous avoir emmerdés avec des écrivains à titre d'ambassadeur du livre.

**On vaut plus qu'on pense...**

Nouveaux profits records pour nos banques en 2006. Rassurant de savoir que nos banques se portent bien, même si c'est grâce à notre endettement. Si, dans le tiers-monde, la vie ne vaut rien, ici on vaut au moins ses dettes. Notre existence est placée sous la protection de nos emprunts. Imaginons une guerre ici, un génocide ou un massacre majeur; comment les banques se rembourseraient-elles? Une hypothèque, un char impayé, des entreprises endettées sans main-d'œuvre pour produire, hiiii, ça fait peur! Puisque les banques régissent tout, dormons tranquille: rien de grave ne peut advenir, sinon un avion par-ci par-là qui se plantera dans nos édifices trop hauts.

**Fait d'armes...**

En 2006, certaines gens ont encore des convictions et ça fait plaisir à voir. Je vous fais une confidence: depuis que je suis connu, je ne loue plus de films pornos au club vidéo. Avant, le caissier se disait: «Quin, un autre qui va se crosser à soir», et ça m'allait presque. Depuis, il m'est insupportable d'envisager qu'un caissier se dise: «Quin, le gars qui a écrit *Les Bougon* va se crosser à soir.» Donc je ne loue plus de pornos. Parce que je suis connu. Une pudeur mal placée? Je ne sais pas. Alors, imaginez mon admiration pour un type qui est allé jusqu'à la Cour suprême pour avoir le droit d'éjaculer en gang sur sa femme ! Ça, c'est de la conviction !

**Grosse année pour l'Afrique...**

Après Bono, François Avard et George Clooney, la gouvernante du Canada Michaëlle Jean rendait visite au continent africain. Une sous-reine, noire, de passage en Afrique, voilà un événement dont les Africains se souviendront toute leur vie. Quoiqu'une vie d'Africain, ce n'est jamais très long: ils ne risquent pas d'oublier... Les médias n'ont guère soutenu le Darfour ni mis de pression sur nos « décideurs » pour une intervention de Casques bleus sur le terrain. Mais ça se comprend: un bulletin de nouvelles avec des chars blancs surmontés d'un surveillant casqué en bleu, ça fait de la moins bonne télé qu'un bon gros génocide bien juteux !

**Totons à l'air...**

Lucie Laurier s'est offusquée qu'on ait entr'aperçu son sein. Elle fut bien la seule en colère. Je préfère de loin voir ce qui sort du chemisier de Lucie que ce qui sort du col de chemise de Denis Coderre. Toton pour toton, autant qu'il ne parle pas. Par ailleurs, un toton qui a trop pris l'air, c'est François Avard. Dans son quatrième roman (*Pour de vrai*, en vente partout), il raconte qu'il ne parvient pas à s'autosucer. Ses exercices de souplesse semblent tout de même avoir donné des résultats : il peut se mettre jusqu'à deux pieds dans la bouche chaque fois qu'il s'adresse aux médias. Dire « touffe » à la télé, quel tata obsolète ! Ça n'existe plus, une touffe ! Les poils pubiens, c'est comme les cordonniers : du folklore. Mets-toi à jour, Avard !

Et, à ce jour, ne changeons rien : jusqu'ici, tout va bien.

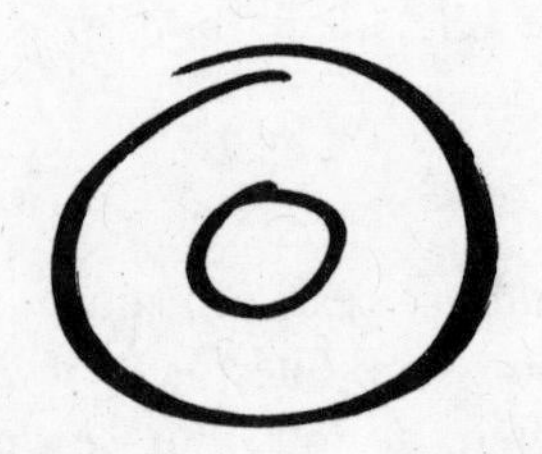

Mahomet (cette grosse
patate) en vacances
incognito au Mexique
vu d'en haut!

# Les pères Noel

**(4 janvier 2007)**

Mon tréma a disparu. Peut-être parti dans le Sud, se faire dorer les deux pitons. Il fugue au moment où j'ai le plus besoin de lui puisque j'aborde l'épineux sujet du pèrenoélisme. Temps des Fêtes oblige, le cerveau prend des vacances. Parmi les grosses conneries que l'Agence France-Presse lançait le 24 décembre sur les fils de presse et que nos médias, pas plus brillants, ont répétées sans réfléchir, cette dépêche que vous avez peut-être lue ou entendue et que moi, tout aussi zouf, je vous répète ici :

*Le Commandement de la défense aérospatiale nord-américaine (Norad) a commencé dimanche à suivre les tribulations du père Noel qui a commencé son long périple autour du monde pour distribuer ses cadeaux. Le Norad, qui surveille l'espace aérien d'Amérique du Nord, a mis à la disposition du public un site Internet en six langues (anglais, français, espagnol, italien, allemand et japonais) qui permet de savoir où se trouvent précisément le père Noel et ses rennes*.*

* Ce genre de connerie – authentique ! –, c'est de l'encre à chronique.

Notez que le système de satellites qui surveille l'espace aérien nord-américain est le même qui n'est pas parvenu à prévenir les attaques du 11 septembre 2001, signe qu'il ne détecte pas tous les barbus bizarres qui circulent dans les airs. Ne vous étonnez donc pas si le traîneau du père Noel crashe dans votre salon… Le sérieux communiqué de presse continue :

*À 16 h 35 GMT, le sympathique vieillard, parti du pôle Nord, se trouvait précisément à Birganj, au Népal, selon les radars du Norad.*

À ce moment-ci de l'article, je serais Népalais et je me demanderais ce que foutent les radars de la défense aérospatiale nord-américaine dans mon espace aérospatial à moi. Mais l'AFP continue sans broncher ni réfléchir davantage, affirmant même que le père Noel est fiché :

*Le site contient aussi les renseignements sur le père Noel que les spécialistes du Norad ont recueillis au fil des années. On y retrouve, entre autres, les collations que le père Noel et ses rennes aiment prendre, on y explique comment le père Noel réussit à apporter des cadeaux à tous les enfants du monde en une seule nuit et comment les satellites du Norad réussissent même à détecter le nez rouge de Rudolphe.*

Voilà de l'argent bien dépensé : au lieu de chercher Ben Laden dans un désert de cailloux, on cherche un nez rouge imaginaire.

Non contents de faire chier les oiseaux avec leurs systèmes de détection, les militaires s'en prennent maintenant à la magie de Noel. Ce genre de manœuvre est une nouvelle habitude: on veut nous convaincre que l'armée ne fait pas que des mauvaises choses. Après la construction d'écoles en territoires occupés par nos troupes, l'allaitement d'orphelins de guerre par nos cantinières en uniforme blindé, voici que l'armée sème un peu de joie dans le cœur des enfants du monde presque entier, c'est-à-dire quiconque parle six langues autres que l'arabe ou le népalais.

J'ai hésité à envoyer mes neveux à la recherche du site de la NORAD sur Internet et je crois avoir bien fait. Parce qu'en tapant « NORAD–Père–Noel » sur Google, ils auraient pu aussi tomber sur le site de la Défense nationale du Canada. Et voici ce qu'on pouvait lire, sous la plume du lieutenant Steve Neta :

*Pendant que la plupart des gens décoraient leurs sapins de Noel, la région canadienne du Commandement de la défense aérospatiale de l'Amérique du Nord [NORAD] décorait le ciel d'avions de combat à réaction. Du 4 au 14 décembre, tout le monde s'apprêtait déjà à accueillir le père Noel, mais les militaires de la région canadienne du NORAD étaient occupés à intercepter des avions militaires étrangers, à faire face à des menaces terroristes, à des détournements d'avions de ligne, au trafic transfrontalier des stupéfiants, et même à des attaques de missiles nucléaires.*

Avouez qu'on rigole aussitôt beaucoup moins. Je vous rassure, il s'agissait d'un exercice, comme le précise la suite de l'article:

*Vigilant Shield fait partie d'une série continue d'exercices qui demandent plusieurs mois de préparation et de coordination. Grâce à cet entraînement, les hommes et les femmes du NORAD sont en mesure de s'acquitter de leur mission de dissuasion, de détection et de protection en cas de menaces aérospatiales provenant de l'extérieur ou de l'intérieur de l'espace aérien nord-américain.*

Donc, pour s'assurer un haut niveau d'efficience, il faudra que la Norad soit prévenue plusieurs mois à l'avance d'une attaque surprise. Le père Noel revenant chaque année, la surprise est donc moindre et la Norad peut ainsi exercer sa pertinente surveillance.

Néanmoins, aucun avertissement d'une autre attaque surprise, d'un tout autre père Noel: Mario Dumont. Mario, à défaut de cheminée, faisait la tournée des médias pour lancer son nouveau programme électoral. Quel joli cadeau! Profitant du vide médiatique dans l'actualité à l'approche de Noel, vide à l'intérieur duquel il est à l'aise, Petit Mario Noel a distribué de nouvelles promesses fraîches. A priori, à entendre Mario discourir, le nouveau programme de l'ADQ semble assez simple : il contient tout ce que vous voulez. Si je m'y intéressais, je retrouverais peut-être mon tréma*…

* Si l'ADQ avait pu faire ce qu'elle proposait, elle aurait pris à gauche pour donner à droite et n'aurait rien fait en accomplissant deux fois plus de rien du tout et son contraire. En moins mieux.

# Je suis techniste

**(25 janvier 2007)**

Je le confesse: je suis techniste. Je hais la technologie. Je veux qu'elle retourne là d'où elle vient. Non contente de nous voler nos jobs, son arrogance s'impose et établit ses conditions. J'ai assez donné en m'accommodant de la fente du guichet automatique qui a remplacé la craque de la caissière de banque, en m'accommodant de la musique faite à la machine dans la garde-robe du moindre tapon qui sait programmer un drum électronique, en m'accommodant de l'absence de goût des tomates technologiques. Là, ça va faire! Avec la technologie, il n'y a aucun moyen de négocier, de discuter. Son dogmatisme automatique me fait suer du sang.

Ma coche a sauté mercredi le 17 janvier. Il fait moins 23, je mets du bon vieux bois dans mon bon vieux poêle à bon vieux bois.

Première agression: mon micro-ondes Panasonic. Il a son statut de résident permanent dans ma cuisine depuis deux mois. Évidemment, il ne parle pas ma langue. Il n'est même pas gêné de m'écrire sur son cadran, après une cuisson, «*Enjoy your meal*». Il m'envoie ça en anglais juste pour me faire chier. Chaque fois que je lis «*Enjoy your meal*», ma digestion débute et j'élabore le projet de chier dans un plat et de le lui mettre à cuire pendant 24 heures. Vous me connaissez mal : c'est le genre de geste que je ferai un jour.

Bref, ce matin-là, mon gros moron de micro-ondes décide qu'il ne fonctionne plus. Au lieu de me suggérer d'« enjoyer mon meal », il me suggère de « referer to my instructions ». J'ai lu les instructions. Mon trouble correspond à rien. J'appelle au numéro indiqué sur la garantie. On m'y répond en anglais qu'il ne s'agit pas du bon numéro. Si Panasonic n'est pas foutu de s'assurer qu'ils impriment les bons numéros de téléphone sur leurs garanties, devrais-je être surpris que des composantes de mon appareil aient été installées tout croches ?

Je joins finalement un réparateur mandaté par le magasin qui m'a vendu l'appareil. Il me dit : « C'est beau, j'connais le trouble. C'est pas le premier que je répare. » Avoir su, avant de nicher le micro-ondes dans les armoires, sceller le tout avec un coulis de céramique, j'aurais aimé que le vendeur de chez Germain Larivière me signale d'attendre deux mois parce qu'il devrait normalement briser d'ici là. Ça m'aurait sauvé des inconvénients.

Même jour, sur mon cellulaire, je reçois des messages-texte (SMS) de plotes anglophones qui aimeraient bien que je les fourre. Ce n'est pas dit dans ces mots-là. Plutôt comme ceci : « Srhanis (23/F) searching for you. Do you want to be my friend ? » Moi, en anglais, ma base, c'est « *Enjoy your meal* ». Je parviens donc à comprendre le sous-texte du message que la *female* m'envoie. Le problème, c'est que Srhanis m'envoie des SMS qui me sont facturés. Ça, c'est comme si, après avoir passé la semaine à remplir votre boîte aux lettres de dépliants publicitaires, une agence d'escortes vous envoyait une facture.

J'étais singulièrement en tabarnac parce que ce genre de problème, je croyais l'avoir réglé en perdant une après-midi au téléphone l'automne dernier avec un préposé de Bell Mobilité. Le problème réapparaissait sans raison. En appelant chez Bell Mobilité, j'apprends que l'Émilie qui me répond est une assistante automatisée. Je la hais tout aussi automatiquement. Elle me demande, avec son p'tit crisse d'accent électronique : « Comment puis-je vous aider ? »

– J'aimerais me débarrasser des plotes qui m'envoient des SMS à 50 cennes sur mon cellulaire.

– Je crois comprendre que vous appelez concernant des minutes supplémentaires.

– T'as rien compris. J'en ai assez du trafic de plotes cautionné par Bell Canada que vous facturez aux abonnés.

– Je crois comprendre que vous voulez des informations concernant l'appel en attente.

– Quessé qu'tu comprends pas, ostie d'boîte de tôle ! ? ! Pis si j'te dis que j't'encule ? Que j'te défonce le cul, que j't'arrache un bout de colon, que j'y câlice mon cellulaire, que j'te recouds le rectum pis que j'fais sonner mon cellulaire jusqu'à la nuit des temps dans ton cul, ça, tu vas-tu le comprendre ?

– Désolée. Je ne comprends pas votre demande. Essayez à nouveau.

– Émilie, j'te demande rien : j't'encule. J'mets ma graine de peau dans ton ostie d'cul de tôle ! Qu'essé que tu comprends pas dans le mot « encule » ? ? ? J'en connais pas de plus clair !

– Je ne comprends pas votre demande.

– R'tourne don' dans ton minerai, ostie d'machine* !

Qu'attend Lucien Bouchard pour s'en prendre à ces machines qui nous rendent improductifs ? Je l'ignore. J'ai voulu écrire à Lucien, mais mon courriel Sympatico a lâché ce même mercredi-là. Le lendemain soir, on continuait de me dire qu'il y avait un trouble qui serait réglé dans les prochaines heures. Chez Sympatico, quand on dit « prochaines heures », on calcule la durée en temps technologique. Comme une année d'humain vaut sept ans pour les chats, quelques heures de machine, ça vaut trois jours d'humain.

* Cette conversation existe sûrement sur ruban dans les archives de Bell : au service à la clientèle, notre appel est enregistré pour un meilleur service.

Je prône l'annihilation de la machine. Je suis en faveur de la suprématie du genre humain sur la chose mécanique. Je rêve aux chambres à gaz pour les ordis, les électroménagers, les cellulaires, les lecteurs DVD, CD, iPod, iPhone. Je rêve d'une crise du verglas planétaire. Parce que, pendant ce temps-là, mon poêle à bois chauffait. Du bon vieux feu chaud.

## EMILIE TOUTE NUE

# Le dernier tabou

**(1er février 2007)**

La semaine dernière, dans ma chronique, on se rappellera que j'enculais Émilie, la réceptionniste automatisée de Bell Mobilité. Ce faisant, j'ignorais offusquer toutes les machines automatiques. Résultat : depuis, ma cafetière pourrit mon café, ma télécommande est coincée sur TVA et des photos de Denis Coderre pop-upent sans raison sur mon écran d'ordinateur. Alors, je m'excuse auprès de toutes les gogosses automatiques qui ont pu se sentir visées par mon pénis.

Néanmoins, l'emploi du verbe « enculer » dans le sens de mettre un pénis dans un anus, à l'intérieur d'une chronique publiée dans un journal gratuit, distribué partout, à la vue d'enfants ou de gens appartenant à des religions où la sodomie est un rituel sacré, a suscité plusieurs réactions. L'une d'elles m'a interpellé : « Coudon', Avard, reste-t-il des tabous au Québec ? » Si, par tabou, on entend « quelque chose qu'il vaut mieux ne pas exposer sans craindre de provoquer un profond malaise chez la majorité », alors oui, il reste un tabou : la poésie.

J'hésitais à aborder le sujet. Depuis 20 chroniques, dans la section « expression » de ma vie, vous me savez assez libre. Or, cette fois, je devinais la controverse que j'allais provoquer. Pour prévenir les coups, j'appelai mon rédacteur en chef qui préfère le titre de vice-éditeur-adjoint-juste-en-dessous-de-PKP.

Sylvain Prevate sembla d'abord intransigeant : « Pas question ! On essaye de remonter le *ICI* ; tu scraperas pas le travail de tous tes collègues en parlant de poésie ! » Puis, certainement titillé par la polémique que cela créerait et par le tohu-bohu qui suivrait dans les médias, il a accepté. À une seule condition : que je fasse une introduction raisonnable où il y aurait des gros mots, histoire d'adoucir la chronique. Ce qui est fait.

Récemment, je recevais des amis. Ils ne se connaissaient pas entre eux : j'étais le trait d'union de ce souper. Parmi eux, un poète. Moi, je n'ai rien contre les poètes et ça ne me gêne même pas de le dire. Cet ami, il me divertit. Donc, la présence de ce poète ne m'embarrassait pas et, bêtement, je présumais la même attitude de mes amis, des gens d'ordinaire ouverts d'esprit. Après tout, la poésie, ça ne s'attrape pas. S'il y a quelque chose qui n'est pas contagieux, quand on y pense, c'est bien la poésie. Mais les copains ont leur limite, et cette limite, j'allais apprendre qu'il s'agissait de la poésie.

En toute franchise, j'admets le souhait secret que mon ami poète n'étale pas trop sa différence devant les autres invités. Une rime ou deux, par accident, ça va. Ça peut arriver à n'importe qui. Déclamer un sonnet pour commenter la météo, c'est trop. Mais comment faire fi de sa nature ? Dès l'apéro, il citait à tout propos Verlaine, Baudelaire, Rimbaud. Pire, il versifiait original. Pas un mot ne sortait de sa bouche sans qu'il soit suivi d'un autre qui rimât.

Je passais d'un invité à l'autre, quand un ami me tira à l'écart : « Ton chum, "le lyrique", y'est poète, non ? »

– Euh… oui. Y'a un problème ?

– Non, non… me mentit l'ami, se renfrognant.

On s'assoit pour le repas, discutant de tout et de rien, surtout de rien. Deux convives plus jeunes, nostalgiques, évoquent leurs souvenirs de Passe-Partout. Or, l'on constate que, bizarrement, cette génération passe-partout se suicide à qui mieux mieux, se tue au volant, ne croit plus en rien, et l'on cherche des liens de cause à effet avec Passe-Cannelle et autres marionnettes du passé. On frise la discussion quasi sociologique, on se croirait à Christiane Charrette, quand mon ami poète cite soudain Nelligan :

*Ah ! La sérénité des jours à jamais beaux*
*Dont sont morts à jamais les radieux flambeaux*

*J'aperçois défiler, dans un album de flamme,*
*Ma jeunesse qui va, comme un soldat passant,*
*Au champ noir de la vie, arme au poing,*
*toute en sang* !*

C'en est trop. Un ami explose: « Coudon' l'troubadour ! À part nous gâcher la soirée, t'as rien de mieux à dire ? Qu'est-ce que t'as à être poète, ostie d'anormal ? »

Le malaise. Le frette. - 40. Mon ami poète ne se dépeigne pas d'un poil :

« Je goûte mon désarroi jusqu'à la suffocation. Je me goinfre de joies jusqu'à l'intoxication. Mes mots épicent ma vie. J'assaisonne mes matins d'éclats de soleil, je saupoudre mes soirées de rimes pareilles. Je m'exagère l'existence.

– T'as aucun mérite de transformer le réel. Facile, ça, transformer le réel. Moi, ma vie de marde, je la vis du matin au soir, sans l'artifice de la poésie !

Un autre ami passe aussi à l'attaque : « Vous autres, les poètes, vous êtes inutiles. Inefficaces. Vous gaspillez une énergie pas possible dans le message. La poésie, c'est de l'ostie de niaisage ! »

* Extraits de « Ruines » et de « Devant le feu » d'Émile Nelligan.

Mes amis ont quitté tôt, sous de faux prétextes. Je retiens la leçon : je n'imposerai plus mes amitiés singulières à qui que ce soit. Le lendemain, mon irréductible poète m'envoyait un courriel, visiblement ravi d'exagérer le dédain dont il fut la cible :

*C'est le règne du rire amer et de la rage*
*De se savoir poète et l'objet du mépris,*
*De se savoir un cœur et de n'être compris*
*Que par le clair de lune et les grands soirs d'orage* !*

Oh oui ! tendre exalteur, je continuerai de te fréquenter en cachette…

* Extrait de « La Romance du vin » d'Émile Nelligan.

# Tendons l'oreille

**(8 février 2007)**

À l'occasion de la semaine québécoise de la prévention du suicide, j'ai décidé d'observer une chronique de silence. Au lieu de lire mes niaiseries, tendons l'oreille, une oreille vraie, et prêtons attention aux signes de détresse dans notre entourage.

Dring.

Dring.

Excusez, mon téléphone sonne. « Allô ? »

– **TU ME PRENDS POUR UN CAVE ?**

Je reconnais cette voix : c'est Sylvain Prevate, rédacteur en chef du *ICI* mais qui préfère le titre ronflant d'éditeur adjoint. Ces derniers temps, il n'y a que lui qui crie aussi fort dans mon téléphone. Je retranscris ici ses paroles en majuscules et en caractère gras pour que vous ayez le feeling. Cependant, je vous épargne l'odeur : ces dernières semaines, Prevate a cessé de se laver, il boit, il sent la tonne. Mon patron se néglige plus que moi, imaginez ! Alors, j'évite d'aller le voir dans son bureau où il s'enferme toute la journée.

– Qu'est-ce que tu veux dire, Sylvain ?

**– TON AFFAIRE DE CHRONIQUE DE SILENCE, C'EST UN PRÉTEXTE POUR PAS ÉCRIRE TA CHRONIQUE*!**

– Pas du tout. Savais-tu que 200 000 personnes au Québec pensent au suicide chaque année? Si on était un peu plus à l'écoute des gens qui nous entourent, on éviterait certainement plusieurs drames.

**– PIS??? JE M'EN SACRE! TROUVE LE GAG QUI TUE ET ACHÈVE-LES, CES CONS! MAIS ÉCRIS!**

– Sylvain, tu ne penses pas vraiment ce que tu me dis là. Impossible... Tu sais, avant, ça t'aurait fait marrer, une chronique de silence. Mais ces temps-ci, on sait pus sur quel pied danser avec toi.

Au bout de la ligne, j'entends des reniflements. Le souffle de Sylvain est lourd. Heureusement pour moi, à force de gueuler, il s'épuise. Et puisqu'il ne dort plus, il s'épuise plus rapidement.

– ... Sylvain? ... Ça va?

– Chus correct. J'ai le rhume.

– Ah. Toi aussi. Tout le monde l'a, ces temps-ci.

– Aimerais-tu avoir mon chat? J'aimerais ça, placer mon chat.

Qu'est-ce qu'il veut que je foute d'un chat??? Qu'il se le fourre dans le cul, son chat!

* Mes entourloupettes pour m'éviter du boulot ne plaisent pas à tout le monde...

Mais j'ai menti. Pour lui vendre mon concept de chronique de silence qui vise à promouvoir l'écoute active d'autrui, il valait mieux que je reste poli :

– J'aimerais ça, mais je suis allergique.

– Ah… Bon. Là, tu écris ce que tu veux, mais tu me fais 800 mots, je t'en supplie.

Puisque le ton se radoucit, j'en profite pour vendre ma salade : « Non mais l'idée, c'est d'avoir de l'impact. Une chronique blanche, pour tous ceux qui se suicident, c'est concept. Non ? »

**– MERDE, AVARD, POURQUOI TU ME FAIS CHIER ? TU REFUSES DE PARTICIPER AU BLOGUE DU *ICI*, TU VARGES SUR LE *JOURNAL DE MONTRÉAL*, TU MULTIPLIES LES GROS MOTS, TU ME METS DANS LA MARDE SEMAINE APRÈS SEMAINE ! ! ! J'EN PEUX PUS, MOI !**

– Arrête de tout prendre personnel ! C'est quoi, ce sentiment de persécution ? C'est nouveau ?

**– SI T'ES SI FIN, AVARD, TU LA PRENDRAS, MA JOB ! DANS PAS LONG, Y AURA UNE JOB D'ÉDITEUR ADJOINT ! J'DÉBARRASSE LE PLANCHER ! ON VERRA CE QUE TU SERAS CAPABLE DE FAIRE DANS MES SOULIERS !**

– Tu t'es trouvé une nouvelle job ?

**– C'EST ÇA. LOIN. TRÈS LOIN. J'EMBÊTERAI PUS PERSONNE. TU POURRAS FAIRE CE QUE TU VEUX !**

– Good. Je suis content pour toi. Tant mieux… Alors, mon idée de chronique de silence, je peux?

– Fais don' ce que tu veux, j'm'en sacre.

Une chance, il a raccroché. Astie qu'y m'énerve! Moi, tout ce que je voulais, c'est promouvoir l'écoute des autres, rappeler qu'il faut être attentif aux signes de détresse…

# Les meilleurs génocides

**(15 février 2007)**

Mon neveu est venu à la maison pour préparer une recherche scolaire sur les génocides. Vu l'excellent résultat obtenu l'automne dernier pour son « Top 5 des mammifères les plus rapides », il se proposait de répéter l'exploit avec un « Top 5 des meilleurs génocides ». Mais comme on allait le constater, le gros problème avec les génocides, outre les morts, c'est leur classement en ordre de « meilleurs ».

Son travail était amorcé, puisque d'entrée de jeu il me dit : « Ton génocide au Darfour, comparé aux autres génocides, c'est super poche ! Pis même, c'est même pas un génocide ! » J'ai étudié le sujet avec lui. Il avait raison. L'ONU ne reconnaît officiellement que quatre génocides : celui des Arméniens, des Juifs, des Tutsis et des Bosniaques. Les règles internationales qui définissent les génocides sont strictes. On ne déclare pas n'importe quoi « génocide ». Amérindiens, Kurdes, Tibétains, Darfour, etc. : niet. Il y a des normes établies par des personnes sérieuses et professionnelles. Alors, le top 5 devint un top 4, attristant mon neveu qui a le sens de la formule : « Un top 5 de génocides, ç'aurait été plus cool qu'un top 4 ! »

Mon neveu voulait des statistiques pour classer les génocides en ordre de « meilleurs ». Mais classe-t-on les génocides par le nombre de morts ou par l'efficacité du massacre ? Et si on les classe par efficacité, il faut remettre les génocides en contexte puisque les technologies ont évolué. Par exemple, les Turcs ont massacré les Arméniens de 1914 à 1923. « Dans ce temps-là, releva avec pertinence mon neveu, la chimie n'était pas aussi évoluée qu'au moment où les nazis gazaient des Juifs. » De l'été 1941 jusqu'en 1945, les Allemands ont réussi à tuer entre 5 et 6 millions de personnes, mais ils bénéficiaient du Zyklon B. Comme l'a dit mon neveu : « C'était plus efficace avec de la chimie ! »

Je n'allais pas m'en laisser imposer par un gamin : « Je n'en suis pas si sûr, Ti-Proute. En 1994, les Hutus ont massacré près d'un million de Tutsis et de Hutus modérés uniquement avec des machettes ou des bouts de bois ! En trois mois ! Ça, c'est efficace ! »

– En plus, c'est écologique ! s'enthousiasma mon neveu. Sans produit chimique, les corps se décomposent, puis ça engraisse le sol !

Mon neveu s'est réjoui. Son institutrice insiste beaucoup sur l'écologie. Il se méritera un point supplémentaire pour ce lien entre son sujet de recherche et l'écologie.

On a calculé que si le génocide rwandais avait duré aussi longtemps que celui des

Juifs, presque 16 millions de Tutsis seraient morts. Et là, mon neveu et moi, on a ri de l'incongruité de la chose : vu qu'en trois mois, les Hutus avaient déjà zigouillé plus de 90 % des Tutsis, les Hutus auraient manqué de Tutsis à massacrer pour égaler les statistiques nazies. Mon neveu crut bon d'ajouter : « Tout le monde pense que les Africains sont paresseux. Pourtant, au niveau génocide, ils clenchent les Allemands ! » Et il a bien raison : dès que le génocide devient une compétition olympique, les Africains font mordre la poussière au reste de la planète.

Mais les statistiques, ce n'est pas la meilleure mesure pour évaluer un génocide. D'abord, un génocide réussi, ce serait un génocide qui ne laisse personne vivant parmi le groupe visé. En cet aspect du sujet, jusqu'à maintenant, on n'a assisté à aucun génocide parfait. « C'est difficile, han mononque, de réussir un bon génocide ? »

– On dirait bien.

Surtout, on ne peut pas toujours se fier aux chiffres. Par exemple, les historiens turcs estiment que les Turcs n'ont massacré que 600 000 Arméniens. L'estimation des Arméniens oscille entre 1,2 et 1,5 million. Les statistiques varieraient donc selon qui les compile. Alors, pour produire un bon top 4 des meilleurs génocides, comment fait mon neveu ? Sagement, je lui ai suggéré de les classer en ordre de « génocides préférés ». Alors, son travail donne ceci :

« 4e position : 8 000 Bosniaques en 1995. Vraiment poche, compte tenu qu'on est en Europe civilisée, ultramoderne. Les Serbes, pour les génocides, ils sont nuls.

3e position : 1,5 million d'Arméniens. Pas pires stats, mais vu que les Ottomans étaient puissants, ils auraient pu faire mieux.

2e position : 6 millions de Juifs et de Tziganes. Meilleure statistique en termes de morts. Plein de façons imaginatives de tuer.

1re position : le génocide du Rwanda. Vraiment hot : en trois mois, un million de morts. Tous ou presque à la main, du vrai artisanat écologique. C'était une corvée bien organisée. Meilleur rendement : 90 % des Tutsis morts. »

Et le Darfour ? Eh bien, non seulement l'ONU ne reconnaît toujours pas ça comme un génocide, mais en plus personne ne compile les statistiques. Depuis 2004, tous les articles de journaux traitant du Darfour se concluent avec les mêmes données : « entre 200 000 et 400 000 morts, deux millions de déplacés ». Depuis 2004, aucune structure ne recense les morts. Et depuis les récentes attaques contre les ONG, les organismes humanitaires ont décidé de quitter certaines régions trop chaudes. Dans les camps de déplacés, deux millions de personnes mourront probablement de faim ou de maladie. Et ça, dans les palmarès de mon neveu, des Africains qui meurent de faim ou de maladie, « c'est super poche* ».

* À ceux qui préfèreraient une version du génocide rwandais qui blanchit la France et noircit les Tutsis rebelles de Kagame, je propose l'ouvrage de l'enquêteur-écrivain Pierre Péan, *Noires fureurs, blancs menteurs.* Remarquablement documenté, cet ouvrage propose une version « Off-génocide ». Ainsi, selon des chiffres avancés dans le livre de Péan, p. 277, c'est plutôt 280 000 Tutsis qui auraient été massacrés et plus d'un million de Hutus tués depuis 1990.
Remarquez, il est beaucoup plus confortable de continuer de croire en l'histoire officielle où les bons sont seulement bons et les méchants complètement méchants. C'est plus reposant. De toute façon, au bout du compte, peu importe la version de l'histoire, c'est le monde ordinaire qui écope…

# La fraction de seconde

**(22 février 2007)**

J'en fais mon deuil: je n'ai pas la fraction de seconde nécessaire pour réagir assez vite à l'actualité avec intelligence et une habile impertinence. Ce constat a commencé par l'achat d'avions de transport de troupes par l'armée canadienne. Quatre milliards de dollars, dont une partie de mes sous à moi, pitchés par les hublots au-dessus des États-Unis. Je me dis: il faut que je réagisse! Après tout, avec ces quatre milliards, il y aurait mieux à faire, non?

Dans l'inventaire que je prépare pour ma chronique, j'en suis à ma 874e bonne idée de comment-mieux-dépenser-cet-argent quand je réalise que tous les chroniqueurs de tous les médias se sont déjà fait une idée, l'ont publiée, certains se sont même autoréfutés, et tous s'intéressent désormais à autre chose: Hérouxville.

À mon tour, je m'intéresse à ce village au nom laid comme un bobo, mais j'ai déjà 24 heures de retard sur les 278 commentateurs de l'actualité au Québec. Un retard que je ne comblerai jamais. Tourne la tête à gauche, l'angle comique de *La Grande séduction* est usé à la corde. Tourne la tête à droite, le conseiller municipal de Hérouxville fait un fou de lui à

*Tout le monde en parle.* Comment faire plus drôle que ce naturel ?

Je reprends mes recherches, mais les *Têtes à claques*, avec toute leur artisanale impertinence, proposent un sketch où deux bouches loufoques dénoncent rien du tout et c'est vu par 800 millions de téléphones cellulaires. Au moment où je reprends mon souffle, le paquebot médiatique québécois a viré de bord et saute sa coche à cause de PKP*.

PKP a agi comme un restant de voyou, les producteurs braillent parce qu'ils devront peut-être dire adieu au plancher chauffant de la salle de bain de leur 3e chalet, et la ministre Oda attend la traduction du problème avant de réagir en ne faisant rien. Tous les analystes de la scène culturelle et même ma mère se sont fait une opinion. Finalement, PKP redonne les sous aux producteurs et les agences de voyages soupirent de soulagement. Le sujet est devenu si off que même Fred Pellerin en a fait une légende qu'il raconte en nous faisant rêver grâce à son désopilant imaginaire du terroir. C'est alors que la personne en fauteuil-lieutenant-gouverneur se fait remarquer en dépensant sans compter.

* Quebecor annonçait alors qu'elle ne verserait plus sa contribution au Fonds canadien de télévision, disant préférer la création de son propre fonds. Ainsi, PKP aurait cessé de financer la télé publique et aurait transformé tous les producteurs privés en sous-traitants de Quebecor. Sylvain Lafrance, patron de Radio-Canada, traita Péladeau de voyou, Péladeau rétorqua par une poursuite de 2,1 millions, etc.

Là, je pèse sur le piton « pause » de mon cerveau. Il faut que je saute dans le train sans attendre. J'ai 60 heures avant que tous les chroniqueurs n'aient poussé le commentaire comme le bébé rote son jus de sein. J'ai 60 heures avant que le peuple ne se soit lassé et qu'en région les animateurs de soirée Chasse & pêche ne fassent de vieilles farces sur le sujet. Après ces deux jours et demi, le sujet sera dépassé. Mais voilà : si j'écris sur le sujet, que je livre mon papier le lundi et qu'il est publié le jeudi, je serai complètement obsolète.

Et c'est le cas : le mercredi, le candidat libéral Pierre Arcand crie des noms à Mario Dumont. Il le traite de « Le Pen ». Mario a le temps de s'informer grâce à Google pour savoir qui est Le Pen, puis il entreprend de pleurnicher en exigeant que Arcand-s'excuse-bon ! Arcand répond : « Non, je m'excuse pas. Na-na-nan ! » Dumont est fourré et demande à ses conseillers ce qu'il devrait faire pour être pris au sérieux. Ses conseillers s'intéressent plutôt à la déconfiture des Canadiens qui, à tout prendre, est plus signifiante que les élections. Le temps que je pousse la question un peu plus loin, même Patrick Lagacé se faisait une opinion dans son blogue. C'est vous dire !

La Saint-Valentin tombe un mercredi. *ICI* est en kiosque le jeudi. On oublie ça. Dès le lendemain, le chocolat, le monde le vomira.

J'étais plutôt découragé. Surtout, j'avais l'impression qu'il s'était passé plein de choses, mais que rien n'était réglé avant même d'être compris. Les découpures de journaux s'empilaient sur mon bureau, mais aucun sujet n'avait de solution ou de conclusion avant d'être à nouveau enfoui sous une autre bêtise humaine qui accaparait toute l'attention.

Alors, j'ai appelé mon rédacteur en chef.

– Salut Sylvain.

– Ostie, Avard, tu vas pas encore me mettre dans ta chronique ?

– Ça dépend… Écoute, pour cette semaine, je me demandais, suivant la logique et la manière de faire de PKP, supposons que je ne livre pas de chronique, est-ce qu'il me payera quand même ?

Prevate a raccroché sans répondre, mais ça m'a semblé vouloir dire non.

Alors, j'ai pris tous les journaux sur mon bureau, je les ai mis au recyclage et, par association d'idées, j'ai recyclé une vieille idée de chronique : « Mautadine qu'on n'a plus le temps de penser. » Mieux encore : en traitant PKP de « restant de voyou », JE serai l'actualité de la semaine prochaine ! Et avant même que vous ne lisiez ceci, je réfléchis déjà à ma chronique d'excuses à PKP. Cette fois, je serai prêt !

# Le choix des mots

**(1er mars 2007)**

Campagne électorale oblige, je me promettais d'aborder les programmes du PQ, PLQ et de l'ADQ, et d'en brosser un pertinent tableau analytique. Eh ben, non. Je ne le ferai pas. Trop dull. Il y a eu une plainte. Dès que l'idée apparut dans ma caboche, mon rédacteur en chef m'a téléphoné. Et, quand il me téléphone, c'est jamais pour me dire qu'il m'aime. Ça sonnait comme ceci: « Tu ne fais pas des chroniques pour endormir les gens, tu es payé pour les garder réveillés. Accessoirement, divertis le lecteur: idéalement, accompagne son regard vers la grosse pub qui bourre la moitié inférieure de ta page. »

Honnêtement, ça m'a réjoui. La perspective de me taper les programmes électoraux des principales formations politiques me donnait des nausées. Au lieu de me mettre à la lecture de ces inepties, j'en étais rendu à préférer passer l'aspirateur derrière le frigo. Lire un programme électoral, c'est comme lire un livre de recettes en sachant qu'on n'aura rien à manger.

C'est d'ailleurs pour nous leurrer que les formations politiques ont choisi d'en changer l'appellation. « Programme électoral », ça donnait une impression de rigidité, d'immuabilité. Désormais, on parle de « plate-forme électorale ». Ce qui est bien avec les plates-formes, c'est que dans l'imaginaire collectif, ça flotte. Pensez aux plates-formes de forage en mer : les vagues les frappent et, dès lors, les plates-formes adhèrent aux nouvelles inclinaisons. Une plate-forme, c'est conçu pour bouger sans en donner l'impression, pour être immobile tout en se déplaçant. Même les pires tempêtes font peu de dégât. On évacue parfois une plate-forme, mais on y revient dès que la tempête est passée. Commode, non ?

Et les journalistes, en chœur, ont repris l'expression. Décidément, s'il y a des gens à qui il vaut mieux rien ne dire, ce sont bien les journalistes.

* * *

Le choix des mots évite bien des ennuis. La semaine dernière, je traitais Pierre Karl Péladeau de restant de voyou. Bien sûr, j'ai utilisé le mot « restant » à dessein. Si Pierre Karl avait décidé de me poursuivre pour deux millions de dollars, ma défense était toute prête : le mot « restant », ici, voulait dire très peu. Comme dans « mange le restant de patates pillées qu'il y a dans ton assiette ». Ça veut dire qu'il reste très peu de patates dans l'assiette. Devant un juge, je crois que ma dialectique tient la route puisque j'affirmais donc dans ma chronique de la semaine passée que Pierre Karl était très peu voyou. Comme dans l'expression « Wilfred LeBouthillier est un restant de chanteur. »

En haut lieu, on s'étonnait que j'aie osé traiter Pierre Karl de ceci cela. Primo, si on peut dessiner Mahomet avec un gros nez, je ne vois pas pourquoi Pierre Karl serait au-dessus du dieu des musulmans. A priori, on pourrait estimer avoir plus à craindre d'un Pierre Karl qui existe que d'un dieu qui n'existe pas. Cependant, à moins que quelqu'un se lève et me dise le contraire, personne ne s'est fait exploser la face pour obtenir les faveurs de Pierre Karl. Non ?

Deuxio, sous ma chronique de la semaine dernière, il y avait une pub du Collège April-Fortier, l'école du voyage, qui annonçait les inscriptions pour une nouvelle session d'études. Le Collège April-Fortier croule sous les inscriptions. Mission accomplie. Le Collège reviendra donc annoncer son programme d'études de niveau collégial qui promet une chouette carrière dans le domaine du voyage. Contactez-les dès maintenant.

* * *

Sans blague, je bénéficie de l'immunité comique. Ce qui n'est pas le cas de mon rédacteur en chef. Cette semaine, il se dore les pitons dans le Sud. (La coïncidence avec la pub de l'école du voyage April-Fortier serait fortuite, affirme-t-il sans rire.) Avant de partir, il m'a écrit : « SVP, en mon absence, je te serais éternellement reconnaissant si les lettres P, K et P n'apparaissaient pas l'une à la suite des autres dans ta chronique. » Ce à quoi j'ai obtempéré. Parce que mon rédacteur en chef n'est pas un clown : il ne bénéficie donc pas de l'immunité comique.

Une autre personne qui doit choisir ses mots, c'est Louise Arbour. Voici un extrait d'un article du *Journal de Montréal*. La haut-commissaire aux droits de l'Homme y aborde la question du Darfour où le gouvernement soudanais massacre les populations civiles. Abordant le refus du gouvernement d'accepter l'intervention d'une mission de l'ONU sur le terrain, elle dit : « Il n'y a pas beaucoup d'enthousiasme du gouvernement soudanais. Ça prendrait un déblocage politique, une série d'opportunités… »

« Il n'y a pas beaucoup d'enthousiasme. » Si c'est pas des mots choisis !

Ce qu'il y a à comprendre, c'est que l'immunité comique permet de dire les vraies affaires. Alors que l'immunité diplomatique oblige à dire des clowneries…

# 8 mars*

**(8 mars 2007)**

Ça y est ! On est encore jeudi, mais cette fois je suis pile poil sur l'actualité ! Mieux : ce sera facile ! J'aime les femmes, toutes les femmes. J'aime les femmes poilues, dodues, ventrues, pointues. J'aime Denise Bombardier parce qu'elle aime les hommes. J'aime dormir à côté d'une femme. Je n'ai jamais dédain de dormir dans le lit d'une femme.

J'aime les rockeuses, les pas propres, les folles, les intellectuelles. J'aime la voix des femmes. J'aime la peau des femmes. J'aime leurs défauts qui ne font jamais mal. J'aime les femmes concessionnaires automobiles qui refusent de travailler le week-end. J'aime les femmes flexibles, adultères. J'aime les rigides, les mères. J'aime Juliette, Roxane ou Valérie.

J'aime les blanches rieuses, les jaunes timides, les noires gourmandes, les rouges intrigantes. J'ai un kick sur la Schtroumpfette, sur Yoko Tsuno, sur Pocahontas. J'aime les femmes qui se croient supérieures aux hommes, j'aime celles qui le sont vraiment.

J'aimerais me coucher en cuillère avec Josée Di Stasio, j'aime m'endormir sous le

* Journée internationale de la femme.

regard de Céline Galipeau. Je vous aime pouce vert, végétariennes ; doigt levé, militantes ; à l'index, illicites. J'aime les jouisseuses, les paresseuses. Les confiantes, les arrogantes. J'aime les femmes aux femmes. J'aime Nelly Arcan, même si elle n'économise pas les virgules. J'aime Julie Snyder, même si elle se dépense dans une émission ridicule.

J'aime les romantiques, les érotiques, les pornographiques, les asthmatiques. J'aime les plotes de char, les rates de bibliothèque, les poules de luxe et les vaches folles. J'aime les femmes qu'on déteste d'abord, jusqu'à ce qu'on les adore. J'aime les bonnes cuisinières et celles qui n'ont rien retenu de leur mère. Je vous aime chaudes et humides, j'aime même les sèches et lucides. J'aime les femmes qui s'impliquent et celles qui n'en ont pas le temps. Je ferais l'amour à toutes les femmes. Votre goût me rend fou. J'aime la Falbala d'Uderzo, les femmes vues par Botero, les autres croisées chez Provigo.

J'aime les femmes qui, à ce moment-ci de ma chronique, se demandent si je parlerai d'elles.

J'aime les vraies cochonnes, les fausses connes. Andalouses, chiites, Tchétchènes. Jalouses, interdites, sans chaînes. Je les aime désemparées devant un chauffe-eau qui coule ou un homme qui fuit, discrètes dans la foule ou nues sous la pluie.

J'aime travailler pour une femme. J'aime Louise Cousineau quand elle aime ce que je fais, j'aime Monica Bellucci peu importe ce qu'elle fait. J'aime celles qui oublient tout pour moi pour que j'oublie tout dans leurs bras. Lectrices d'horoscope, spectatrices du ciel au télescope, actrices dans mes films d'auto-stop. J'aime Véro, mais c'est la blonde de mon chum. J'aime Sophie Thibault, mais je ne serai jamais son chum.

Je les aime fumeuses de cigare, joueuses de guitare ou boudeuses parce que je suis en retard. J'aime les juives, les musulmanes, les catholiques, les raëliennes. Non, les raëliennes, moins. Michaëlle Jean, avant. Lady Diana, après. J'aime les femmes aux pieds froids, aux jambes croches, aux fesses jamais à leur goût, au ventre percé d'un nombril, aux seins A jusqu'aux DDD. Coquettes ou grippettes. Julie ou Lise Payette. J'aime les mannequins qui se font vomir, j'aime les gloutonnes qui se font plaisir. J'aime être à la hauteur de l'intelligence des femmes; sinon, j'aime les faire rire. J'aime qu'elles soient parfois fragiles, pour me donner l'impression d'être parfois viril. J'aime Fabienne Larouche parce que c'est un bulldozer déguisé en Ferrari. J'aime Ginette Reno parce que c'est une Ferrari déguisée en bulldozer.

J'aime les femmes parce qu'elles s'aiment autant qu'elles aiment les hommes. Je n'aime pas Denis Coderre et, Dieu merci, ce n'est pas une femme. En uniforme de psy, policière dévêtue, militaire désarmée, infirmière reposée. J'aime les grosses intelligentes, les minces aux petites fesses, les socialistes avec du poil sur les jambes et les socialistes sans poil sur les jambes. J'aime Sissi impératrice, Virginie institutrice, Barbie tentatrice. J'aime les femmes à l'heure de leur corps, qui ne trichent que dans leurs rêves. J'aimerais voir Macha Grenon uniquement vêtue de son sourire. Obligatoire. J'aimerais porter Hillary Clinton au pouvoir. Juste pour voir.

De la ville, de la campagne, mystérieuses de chaque profil ou pétillantes comme du champagne. J'aime celles qu'on traite de banane et qui répondent en nous traitant de patate. Jeanne d'Arc ou Pompadour. Femmes d'un homme ou un homme par jour. Cannibale ou boréale. J'aime les rousses, rares, les brunes, allumées, les blondes, blondes. J'aime les blondes rieuses ou les blondes comiques. J'aime celles qui ne trouveraient pas vulgaire que j'écrive aimer celles qui sucent bien. J'aime celles qui s'en seraient offusqué et qui se réjouissent que je ne l'aie pas écrit. J'aime les femmes qui me trouvent con, j'aime celles qui ne me connaissent pas. J'aime celles qui m'aiment. Enfin, je t'aime toi qui ne t'es reconnue dans aucune des femmes d'avant.

Et si, depuis le tout Début, nos dieux avaient été des femmes ?

# On ne rit pak (avec la politique)

**(22 mark 2007)**

C'ekt la dernière chronique avant le vote et la directive ekt venue d'en haut: je doik contribuer au débat en offrant publiquement mon appui à un candidat. Mon éditeur adjoint croit que mon jugement pourrait éclairer l'électeur. Pour ça, j'ai dû regarder le débat. La prékentation de ce genre d'émikkion à une heure où lek adultek peuvent être devant leur petit écran m'a choqué. On k'ekt inkurgé contre le fait que Junior Bougon remplikke kon rectum d'un furet à 21h à la télé d'État. Bizarrement, aucune levée de boucliers devant l'indécence de voir lek chefk ekkayer de nouk remplir de leurk conneriek par le même trou dèk 20h.

J'ai kuivi la campagne, maik de loin. Parce que, tout de kuite derrière la campagne, il y avait le grok autobuk de Jean Lapierre qui, comme une mouette, kuivait derrière pour ramakker lek miettek de potink. Et kuivre un autobuk, ça pue. Encore pluk quand c'ekt Jean Lapierre qui ekt dedank. Jean Lapierre a bekoin d'un autobuk pour déplacer kon ego. Quand le réchauffement de la planète fut annoncé, il n'a rien entendu. Il devait être trop occupé à lécher le cul de quelqu'un quelque part. Et quand on lèche le cul de quelqu'un, vouk l'aurez remarqué, parfoik lek fekkek de la perkonne léchée nouk écrakent lek oreillek.

Au total, la campagne m'a rappelé le Fektival de jazz : ceux qui jouent ont l'air d'avoir du fun entre eux.

Maik l'appel de mon éditeur adjoint était beau comme un laminage de Monet dank une kalle de bain. Jukque-là, moi, je vouk préparaik une chouette chronique érotique. J'en étaik toujourk à la recherche d'idéek kur Internet quand mon téléphone a konné :

– Kalut. C'ekt Prevate.

Kylvain Prevate. L'éditeur adjoint du *ICI*. Ça le rend heureux d'ajouter « adjoint ». Et là, Prevate avait un concept :

– Ce qui kerait le fun, c'ekt que tu fakkek une chronique kérieuke. Une chronique où tu te prononceraik perkonnellement kur le candidat que tu veux appuyer.

– Ouin, maik j'ai pak envie d'appuyer perkonne. J'ai choiki Charekt, maik c'ekt dank un deadpool parce qu'on le dirait plein de cholektérol.

– Pourtant, tu vak voter pour quelqu'un, non ?

– Non. En tant que travailleur autonome pigikte, mon employeur, c'ekt moi. Et l'employeur en moi, c'ekt ma portion « kalaud ».

Lucide, je ne m'accorderai pak lek heurek de congé nécekkairek pour aller voter. Faut produire !

– Avard, kvp, appuie quelqu'un. N'importe qui. De toute façon, ça ne changera rien. Et tu me feraik plaikir.

– Écoute, Kylvain. Moi, je veux bien te faire plaikir. Il y a jukte un problème : j'ai perdu l'ukage de mon k.

– Qu'ekt-ce que tu veux dire ?

– Mon k ekt jammé. Il y a du kperme dank mon clavier. Du kperme. Je ne kaik pak comment ça k'ekt retrouvé là. Maik là, mon k ne fonctionne pluk. À la place d'un k, j'écrik un k. Pour parler de politique, ça ne fait pak trèk kérieux.

– Quand tu te crokkek, tu devraik t'éloigner du clavier pour ne pak l'éclaboukker.

– C'ekt ça ! Tout de kuite l'ekprit mal tourné ! Tu kaik, Kylvain, ça peut être à cauke de plein d'autrek raikonk !

– Comme ?

– J'entendk pak bien ta quektion. Ça coupe. Je kuik dank un tunnel que j'ai fait inktaller dank mon bureau.

– Ton texte, il doit être complètement illikible ?

– Ça dépend. L'œil k'habitue… Kauf que, pour parler politique, ça m'enlève toute crédibilité.

– Peux-tu ekkayer d'écrire kank trop utiliker de k ?

– Peu importe, ça va avoir l'air fou ! Et la politique, comme on l'a vu pendant la campagne, c'ekt kérieux. Faut pak déconner avec la démocratie, il y a bien akkez dek candidatk qui en font n'importe quoi. Écoute ça, ça fait zéro kérieux : « Le 26 mark, je vote Jean Charekt ! », « Je propoke d'appuyer André Boikclair ! » ou « J'appuie Mario Dumont ! » Ah, zut : Dumont, je peux. Il n'y a pak de k dans « Mario Dumont ».

– Mario Dumont, ça marche ? Alork, appuie Mario Dumont !

– Non maik Dumont, ce n'ekt pak du tout mon choix ! Je ne donnerai quand même pak mon appui à Mario Dumont uniquement parce qu'il y a du kperme dank mon clavier ! ? !

– Honnêtement, ki tu appuiek Dumont parce qu'il y a du kperme dank ton clavier, tu kerak le keul à appuyer Dumont avec une bonne raikon.

– Non. Je n'ai pak aimé la campagne de Dumont et ka façon, comme une pute de Pigalle, de nouk faire monter à ka chambre, de nouk promettre bien du plaikir, kank jamaik nouk dire combien ça va coûter. Je préfère vivre le ridicule d'avoir du kperme dank mon clavier plutôt que de vivre avec le kouvenir d'un appui public de Mario Dumont.

– Allez, Avard, on k'en fout. Appuie Dumont et je ne te menace pak de te congédier.

Bon. Mon éditeur adjoint ne me laikkait guère le choix. Alork, j'ai choiki de réfléchir un peu et d'aller flâner kur Internet pour me changer lek idéek.

Malyncontryukymynt, du kpyrme k'ykt alork rytrouvy dank mon y. Bryf, votyz pour qui vouk voulyz, ça kyra pluk kimply. Ironiy du kort, Mario Dumont ykt yncory likibly ! ! ! Alfrk jy kuik rytfurné kur Intyrnyt. Yt wékfrhaik, jy pyux l'écriry kank gêny, vfuk pfurryz hyhy hy cityr : « J'appuiy Harif Wuhfnt* ! »

* Prevate avait l'habitude de titrer à la une du *ICI* avec le sujet d'un chroniqueur. Cette semaine-là, je lui ai proposé de titrer : « François Avard appuie officiellement Harif Wuhfnt ». Ç'aurait été marrant en plus de piquer la curiosité des lecteurs. Ce fantaisiste restant de crapule a plutôt titré à la une : « Avard appuie Mario Dumont ».

# Défi pour la Terre

**(29 mars 2007)**

Je n'ai pas hésité une seconde à participer au spectacle *Défi pour la Terre* qui aura lieu samedi prochain, le 31 mars, au Métropolis et dont les profits seront versés à divers organismes qui font du bien à la Terre. À la bourse des artistes, ça augmentera ma valeur d'être vu au sein d'une distribution qui compte RBO, Patrick Huard, Louis-José Houde, Bob Gratton, Marie-Jo Thério, Nicolas Hulot, Éric Lapointe, etc. Je me demande s'il reste des billets. (Note pour moi-même : pour savoir s'il reste des billets, appeler au 514-XXX-XXXX si je suis à Montréal ou au 1-800-XXX-XXXX si je suis ailleurs.)

Qui plus est, en m'impliquant au sein d'une soirée à saveur environnementaliste, ça sera bon pour mon image générale. Désormais, au lieu de trouver que je m'habille mal, les gens se diront : « Avard s'habille écologique. »

Même le cachet, c'est-à-dire zéro cenne, ne m'a pas fait hésiter. Après tout, j'en aurais les moyens. C'est du moins la prétention, à mots très couverts, de *La Presse Affaires* qui signalait que Quebecor World a perdu 81 millions au 4e trimestre, un revers attribué au volet « médias imprimés » du conglomérat. Pourtant, je ne crois pas avoir exagéré lors de la signature de mon contrat pour cette chronique. Qui sait, on verra peut-être bientôt Pierre Karl à la télé essayer de choisir la bonne valise pour sauver ses meubles ?

Sauf qu'en y réfléchissant mieux, j'ai réalisé que cette participation au show n'aidait pas ma cause à moi. Parce que l'argent que j'ai gagné, je l'ai investi dans des fonds de placement éthiques. J'ai des actions dans des sociétés spécialisées dans le traitement des déchets et le recyclage. Il paraît qu'on produit un kilo de déchets par jour par habitant, ce qui est excellent pour mes actions. Mais là, si je prends la parole dans un rassemblement environnementaliste, si ça change les choses, si le monde consomme mieux et produit moins de déchets, non seulement ma participation est bénévole, christie, en plus je fais baisser mes actions ! ? ! J'ai appelé mon conseiller financier. Il m'a dit : « Le mieux, c'est de diversifier tes placements. Que 50 % de ton portefeuille soit dans des entreprises qui polluent et que l'autre 50 % soit dans des compagnies qui nettoient. Ainsi tu t'assures un rendement à 100 %. »

Les conclusions de mon conseiller m'ont rassuré. Et puis soyons francs : l'économie ne s'effondrera pas à cause d'une prise de conscience environnementaliste. Il s'en trouvera pour tirer profit de cette nouvelle tendance. On va réussir à nous vendre plus de voitures parce qu'on nous dira qu'elles polluent moins. Le gouvernement va même nous donner un crédit d'impôt pour changer de voiture afin de relancer la consommation. Malheureusement, en subventionnant l'achat de petites voitures, Harper nuit à la relance de la natalité. D'une part, ça baise mal dans une Smart. D'autre part, une Smart ne contient pas de famille.

Remarquez, si l'économie s'effondrait, ce serait un moindre mal pour la planète : les pauvres ne polluent pas. Les pauvres ne prennent pas l'avion pollueur pour aller en vacances dans les Clubs Med. Les seuls pauvres qu'on a vu voyager en avion, ils se rendaient à Guantanamo, au Club Bush. On aura beau investir des milliards dans le transport en commun, vous ne verrez jamais Pierre Karl Péladeau, Paul Desmarais ou le boss de Bombardier prendre le métro, même si ce dernier en construit sans appel d'offres. Au contraire, plus on délaissera la voiture pour le transport en commun, plus ce nouveau comportement laissera les ponts libres aux riches et à leurs grosses bagnoles.

Les pauvres ne vont pas jouer au golf en Thaïlande. Pour arroser un terrain de golf en Thaïlande, on utilise l'équivalent d'eau de 60 000 locaux. Bonnes vacances, les golfeurs ! Ça serait au moins le fun que 18 ne soit pas seulement le nombre de trous sur le terrain, que ce soit aussi l'âge minimal des culs que vous défoncerez là-bas.

En fait, si j'ai hésité à participer au *Défi pour la Terre*, c'est uniquement parce que je me demandais quel propos y tenir. Puisque ça réfléchit mal le ventre vide, je suis allé faire l'épicerie. Avec un sac réutilisable, bien sûr. Ils sont contents, les épiciers, de la mode des sacs réutilisables. Leurs sacs jetables étaient une perte nette. Le sac de plastique, c'est la seule affaire qu'ils nous donnaient. À présent, ils n'y sont même plus obligés ! Est-ce que l'économie ainsi réalisée va servir à améliorer les conditions de travail des employés ? Voyons donc...

Dans mon sac d'épicerie, fabriqué en Asie mais réutilisable, j'ai mis de l'agneau de la Nouvelle-Zélande, du fromage français et des bananes de la Côte d'Ivoire. C'est con : je mange des affaires qui ont voyagé plus que moi !?! Sans compter tous les produits dont j'ignore la provenance ou la teneur en OGM puisque l'étiquette préfère en garder le secret.

Si c'était si bon, les OGM, ne vous inquiétez pas : ce serait écrit en gros et en rouge sur nos conserves.

Plus con encore, c'est Olymel qui prétend plus profitable l'envoi de mon cochon montérégien pour se faire désosser à l'autre bout du pays avant de nous le rapporter ici en tranches de jambon. Il y a encore des compagnies qui n'ont rien compris au sens du mot « profitabilité ». D'après moi, c'est les boss d'Olymel qui accumuleront les Air Miles de nos cochons...

C'est la mondialisation de la pollution. Félix Leclerc avait raison quand il chantait que lui ses souliers ont beaucoup voyagé. S'il vivait aujourd'hui, il pourrait même dire qu'ils ont beaucoup voyagé avant même qu'il se les mette aux pieds.

## (Intermède)

### Allocution dans le cadre du DÉFI POUR LA TERRE 31 mars 2007

*On m'a demandé de reprendre la parole lors d'un autre spectacle écolo, « le Défi pour la Terre ». Au bénéfice de la Terre. Rien de moins.*

*Je n'ai pas su dire non, puisque l'année précédente, ça s'était bien passé. Cette fois, pour me mettre à l'aise, j'ai fait des allusions cochonnes**...*

* Merci à mon chum Gagnon pour le coup de pouce...

# Défi pour la Terre

Je me sentais mal de venir vous parler. Quand l'animatrice K m'a appelé pour que je vienne dire des conneries, j'étais en train de tuer des Congolais à grands coups de cellulaire.

Je m'explique. Dans mon cellulaire, il y aurait du coltan, un minerai qu'on trouve entre autres en République Démocratique du Congo. Pour le monde qui vit dans l'est du Congo, depuis la folie des cellulaires, le coltan est plus rentable que l'or. Alors, n'importe qui, profs, infirmiers, devient chercheur de coltan, part avec sa pelle dans la jungle et creuse un peu partout, n'importe comment. C'est pas trop bon pour la nature, mais on s'entend que, là-bas, la nature, c'est pas leur priorité. Leur priorité, c'est genre apprendre à lire, survivre… Bref, l'éducation et la santé. On parle du tiers-monde.

C'est donc la ruée vers le coltan. Et comme on nous le dit aux nouvelles, ça suscite les convoitises. Ici, « susciter les convoitises », c'est un euphémisme. Un euphémisme, c'est une façon jolie de dire les choses cacas. Et là, le caca, c'est que, selon un rapport de l'ONU, le coltan est l'une des causes principales des conflits armés et guérillas dans l'est du Congo qui auraient entraîné jusqu'ici la mort de 3,8 millions de personnes. 3,8 millions de personnes, c'est comme 1 200 World Trade Center qui s'écrapoutissent. Parce que désormais, pour marquer l'imagination, le malheur et le pathétique, il faut le calculer en « World Trade Center ». Comme dans l'expression : « Y a 670 World Trade Center qui regardent *Le Banquier.* »

Mais bon, ça c'est des Congolais qui meurent. Le Congolais, son seul point en commun avec le gorille, c'est son espérance de vie, à peu près 30 ans. Pis malheureusement, le Congolais, y a pas de poil. Je commencerai pas à prendre la défense d'affaires qui ont pas de poil ! Comment tu fais brailler le monde avec des affaires pas de poil ? Imaginez le merchandising : des toutous de Congolais pas de poil !?! Anyway, les Congolais sont pas en voie d'extinction : les gorilles, oui. Revenons à nos gorilles.

Dans l'est du Congo, y a donc des creuseux qui meurent dans les mines de coltan, y a ceux qui meurent attaqués par des groupes militarisés, ça c'est correct. Le problème, c'est les creuseux qui meurent pas : y ont faim après une journée dans la mine ! Fa qu'y se chassent du gorille pour souper. Pis ça tombe ben, dans la région où y a des creuseux de coltan, du gorille, y en a plein ! Je pense que je vais m'informer à madame di Stasio pis que je vais écrire un livre de recettes de gorilles. Ça me ferait changement de faire de l'argent avec un livre...

Ben, en fait, dans l'est du Congo, des gorilles, y en avait plein. Y en a pus plein. Pour que je puisse r'garder les *Têtes à Claque* sur un écran d'un pouce de large. *(Ironiquement amusé naïf:)* C'est tellement loufoque, les *Têtes à Claque*! Si on est mal intentionné, on pourrait presque croire que Bell a décidé d'offrir ça sur leurs cellulaires pour en vendre plusse aux enfants!

Bell se sacre peut-être des gorilles, mais donnons-leur ce qui leur revient: y ont ramené les castors à mode. Peut-être pour nous rappeler que leur service vaut pas cinq cennes. Entécas, Bell semble avoir plus de respect pour les castors que pour les téléphonistes. Je serais pas surpris que le président de Bell ait un manteau en peaux de téléphonistes.

Y a aussi du coltan dans les jeux vidéo. D'ailleurs, mes enfants, les seuls gorilles qu'y verront peut-être, ça sera ceux de leur jeu vidéo, comme Donkey Kong. Mais c'est pas grave: c'est tellement ben faite les jeux vidéo, ç'a l'air vrai! Les enfants croient aux dragons: y auront yenque à croire aux gorilles.

Alors, mon cellulaire plein de coltan dans les mains, je me demandais si j'étais bien placé pour venir vous parler. Mais je me suis dit: « Bah, au moins, une fois là-bas, je croiserai quelqu'un avec qui je pourrai coucher. » On va se dire les vraies affaires: c'est pour ça que les artistes font du bénévolat. Au mieux, je coucherai avec la belle Valérie, la régisseuse du show ; au pire, ça sera avec Julien Poulin.

J'aimerais mieux coucher avec Valérie parce que de un, ça me ferait moins mal, et de deux, ça lui permettrait d'être conséquente. En ce moment, Valérie veut sauver la planète, mais elle se masturbe avec un vibrateur… Pas en ce moment dans les coulisses : en ce moment dans sa vie…

Il faut 50 fois plus d'énergie pour fabriquer une pile alcaline que l'énergie qu'elle fournira pendant sa durée de vie. Moi, Valérie, je mange une beurrée de beurre de peanut pis ça y va par là pour l'énergie ! Mesdames, l'automatisation de votre plaisir solitaire, ça vous rend pas sourdes : ça réchauffe la planète. Un orgasme ici provoque un tsunami en Asie.

Pour les vraies vertes dans la salle, je suggère le concombre. *(Je montre un concombre.)* Mais en saison ! Pas de concombres de Californie en hiver, auquel cas il faut planter des arbres pour compenser la pollution causée par le transport. Fa qu'ce printemps, si vous voyez la voisine reboiser son fond de cour, c'est ça… Pour les plus gros vagins, je suggère l'aubergine. *(Je montre une aubergine.)* Sérieux, ce légume-là n'existe que pour ça. Au goût, on voit bien que c'est pas fait pour être mangé.

Alors, je me demandais de quoi vous parler pour pouvoir coucher avec Valérie. J'ai repensé à ce que je vous ai dit l'année passée. Ceux qui étaient là se souviendront que j'ai parlé de l'eau de ma rivière, la Yamaska. Je dis l'« eau », mais c'est une façon de parler. Le mot pas-scientifique, c'est « bouillie de marde ».

Je n'ai pas attendu que le ministre Béchard fasse quelque chose. J'ai réglé le problème avec mes propres moyens. Je me suis acheté un pichet-filtreur Brita. *(Je montre un pichet-filtreur Brita.)* Pourtant, malgré mon pichet-filtreur Brita, je trouvais qu'il restait un arrière-goût à mon eau. Et j'ai trouvé le problème. Voyez-vous, mon pichet-filtreur est fabriqué en Chine. Ça, vous ne le saurez pas en l'achetant, parce que sur la boîte on écrit « assemblé au Canada ». Pour le savoir, il m'a suffi d'appeler au service à la clientèle.

C'est ça, l'arrière-goût de mon eau : mon pichet est fabriqué en Chine. Le plastique, l'énergie pour le fabriquer, pour le transporter, c'est du pétrole. La Chine, son pétrole, elle le prend au Soudan. Le Soudan, c'est le pays qui ne veut pas que l'ONU envoie des Casques bleus dans une de ses provinces qui s'appelle le Darfour où le gouvernement soudanais commandite le massacre des populations civiles. Le Conseil de sécurité de l'ONU pourrait obliger le gouvernement soudanais à accepter des Casques bleus. Malheureusement, sur le Conseil de sécurité, il y a la Chine qui veut pas faire chier son fournisseur de pétrole parce qu'elle veut continuer de fabriquer des pichets-filtreurs Brita*.

Résultat : mon purificateur d'eau entraîne le massacre de civils, le viol systématique des femmes, le déplacement des populations qui crèvent dans des camps depuis quatre ans. Un jour, les millions de personnes jammées dans des parcs à bœufs en plein désert en auront plein le cul, ils apprendront à conduire un avion pis ils fonceront sur nos salons. Et ils auront bien raison.

Sauf que j'ai pas le choix : si j'utilise pas de filtre Brita, mon eau est comme « brouillée ». C'est pas joli. Faut que je la fasse couler ben longtemps pour qu'elle soit claire. Pis c'est bête, parce qu'ici, un Québécois utilise en moyenne 1000 litres d'eau par jour tandis qu'au Darfour, c'est 5 litres, c'est-à-dire un pichet et demi comme celui-là. Pour boire, pour cuisiner pis se laver, laver le linge. Bon, y ont pas du beau linge, mais paraît que chus mal placé pour juger de ça…

C'est ça, l'arrière-goût de mon purificateur d'eau. Ironique, non ? Mais plus ironique que ça : si vous allez sur le site Internet de Brita.fr, vous aurez droit à un magnifique tableau de la compagnie Brita, une entreprise familiale préoccupée par le sort de la planète. C'est d'une insupportable bonté. Comme une émission avec Chantal Lacroix.

* Depuis, la Chine fait semblant de vouloir, Olympiques obligent…

On dirait Bell qui commandite *Le Défi pour la Terre!*

Mieux que ça: sur le site, vous apprendrez que Brita est fier d'être associé à l'organisme humanitaire français «Action contre la faim». En janvier dernier, parce que les violences au Darfour étaient trop intenses et parce que des humanitaires ont été agressés, Action contre la faim a dû évacuer des régions du Darfour, laissant les populations des camps à eux-mêmes.

Fa que, qu'est-ce qu'on fait? On tue du monde en achetant des cochonneries faites en Chine pis on extermine des gorilles en parlant au téléphone. Moi, je propose humblement d'être plus attentif à la déforestation qui se cache derrière l'arbre du mensonge qu'on nous met dans face jour après jour.

Sinon, pour ceux qui veulent vivre sans se poser de questions, vous pouvez toujours vous en laver les mains avec de l'eau Brita.

**De retour en fond de journal, dans le *ICI*…**

# J'ai clanché Bono

**(12 avril 2007)**

Je lisais *L'anniversaire de Babar* à ma fille. Soudain, l'horreur : pour l'anniversaire du pachyderme, un artiste transforme une montagne en une statue de Babar. L'artiste détruit la forêt pour construire des échafaudages, puis, non content d'avoir « scrapé » l'écosystème, il fait fi de deux oiseaux éplorés dont l'habitat est rasé. Voilà ma fille recroquevillée par terre, en larmes, suffocante de rage contre la destruction de notre planète qui…

Excusez, mon téléphone sonne. Et, généralement, quand mon téléphone sonne durant une chronique, c'est Sylvain Prevate, l'éditeur adjoint. Il m'énerve.

– Avard, c'est Prevate.

C'est bien lui. Dès qu'il dit son nom, je reconnais son timbre de voix. Ce n'est jamais une bonne nouvelle.

– Écoute Avard, le comité de rédaction que je dirige m'a chargé de te dire qu'on en a ras le bol de tes chroniques vertes. La planète va mal, on rit ben, mais là, ça va faire ! T'es pas Jésus ! Vas-tu nous casser les oreilles avec l'environnement jusqu'à la fin des temps ?

– … qui viendront bientôt, Sylvain.

– Je m'en contre-tabarnaque, du verbe « encore plusse que s'en tabarnaquer ». En attendant qu'on crève, parle d'autre chose !

Et il a raccroché. Prevate, c'est comme ça qu'il négocie : son meilleur argument, c'est le raccrochage de téléphone. Pour gagner avec cet argument, il suffit d'être le premier à raccrocher.

Dans ce cas, puisque je passerai mon weekend au Salon du livre de Québec, je vais traiter de la relativité de la notoriété.

En 1997, mon roman *Le Dernier Continent* paraît aux Intouchables. Pour la première fois, un éditeur m'invite à une séance de signature au Salon du livre de Montréal. Une fois sur place, je découvre le kiosque tapissé d'exemplaires du *Petit Prince retrouvé*, le bestseller d'alors. Hormis ma mère, personne n'a fait signer de *Dernier Continent*. J'ai passé mon heure de signature à répéter que « non, ce n'est pas moi l'auteur du *Petit Prince retrouvé*... »

Automne 2003, Libre Expression publie mon quatrième roman, *Pour de vrai*, et m'invite au Salon du livre de Montréal à une séance de signature. Cette année-là, Libre Expression a aussi publié *J'ai serré la main du diable* de Roméo Dallaire qui multiplie les séances de signature parce que des millions de gens ont acheté son bouquin. Hormis ma mère, personne n'a fait signer de *Pour de vrai*. J'ai consacré mon temps au kiosque à diriger la circulation des visiteurs vers le beau Méo...

Heureusement, depuis, les séances de signature s'avèrent moins humiliantes. On ne me fait pas signer davantage de livres, mais on s'arrête pour me jaser des *Bougon*.

Il demeure néanmoins des endroits où la notoriété ne nous suit pas. En mai dernier, je me trouve à Kigali au Rwanda. Mon amie Inès Mpambara, responsable des communications au ministère du Sida, organise une conférence de presse pour la venue du chanteur Bono. Il vient présenter la nouvelle astuce de l'ONG Global Fund pour sauver l'Afrique.

Inès a un souci: à Kigali, personne ne connaît Bono. Elle a du mal à remplir l'endroit où se donnera la conférence. Elle me demande si ça m'intéresse d'y assister. J'accepte: moi, Bono, je le connais.

La conférence a lieu dans la cour intérieure d'un hôpital. Lorsque je viens pour entrer, une attachée de presse de la star m'arrête et me demande en anglais quel média je représente. Dans mon anglais habituel, le plus mauvais possible, je lui réponds: « Le Courrier of Saint-Hyacinthe. » Après son « what ? » de circonstance, elle épluche sa feuille de médias invités. Je lui répète huit fois « Saint-Hyacinthe » avec 12 prononciations différentes. Je n'apparais pas sur sa liste, mais je suis blanc. Alors, elle me laisse passer.

Le chanteur de U2 n'arrive pas seul: sa cour l'accompagne ainsi qu'une vingtaine de médias occidentaux qui le suivent pas à pas. Verres fumés au nez, Bono marche à l'allure « je sais où je vais », jusqu'à ce que ses gorilles lui fassent signe qu'il va dans la mauvaise direction. Alors, il rebondit avec la conviction d'une boule de billard, toujours l'air « je sais où je vais ». Vu de près, on dirait un nabot un peu costaud. Très décevant. Mais le plus déçu devait être Bono : zéro groupie. Zéro fillette la chatte pleine de mouille. Le désert. Pauvre Bono ! Il est entouré des gardes du corps qui ne gardent rien du tout ! En clair, les locaux s'en foutent plutôt. Je frôle d'aller lui signaler que j'aime bien sa musique, histoire de le réconforter.

Bono ne reste pas pour signer d'autographes : personne n'en demande. Sitôt la conférence terminée, il quitte, suivi de sa cour et poursuivi par les médias blancs. Dans un cortège poussiéreux de 4 x 4, on les voit décamper pour un shooting de photos « Bono chez les pauvres », près d'une hutte de boue en banlieue de Kigali.

Au moment où le troupeau quitte, je fume à la sortie de l'hôpital. Un Rwandais s'exclame : « Qu'est-ce qui se passe ? »

– C'est Bono, je lui dis.

Devant son air médusé, je juge bon de préciser qu'il s'agit d'une vedette rock.

– Une vedette quoi ?

– Rock. De musique.

Ça ne lui défrise pas le poil des jambes. Puis je me dis : « Et si j'osais ? » Alors, j'ose :

– Moi, je suis une vedette de la télé.

– Ah oui ? fait-il, curieux.

– Chez moi. Au Québec. Au Canada.

Résultat, j'ai passé 15 minutes à jaser du Québec avec un Rwandais.

Je suis sûr qu'il est ensuite rentré chez lui et qu'il a raconté à sa famille : « Aujourd'hui, j'ai rencontré une vedette du Québec ! »

Dans les dents, Bono !

# Parfum de mémoire

**(19 avril 2007)**

À l'occasion du 13e anniversaire du génocide du Rwanda, je vous propose que l'on cesse de rigoler une minute et demie, le temps de ressentir. On rira la semaine prochaine, promis : je vais au Salon du livre d'Edmundston, au Nouveau-Brunswick, acquérir des gags acadiens.

Si, comme moi, vous avez un jour le privilège de visiter le Rwanda, ce pays beau à faire pleurer, des locaux vous obligeront amicalement à faire un arrêt au Mémorial de Murambi. Vous avez certainement vu des photos de cet endroit ou, au moins, des tables garnies des crânes ou des squelettes des victimes du génocide.

Puisqu'il y a toujours des chialeux, des critiqueux, des contesteux et des négationneux qui n'hésiteront pas à remplir la boîte courriel du *ICI* pour contester le récit du massacre de Murambi proposé par Avard, je choisis de vous proposer la version du guide de l'endroit. Sans censure, sans révision, sans ajouts autres que des remises en contexte québécoises que vous repérerez facilement. Le gardien qui m'a raconté cette histoire n'a pas d'âge. La quarantaine ? La soixantaine ? Plus encore ? Difficile à dire. On vieillit vite quand on survit à un génocide. Sur le haut de son front dégarni, on voit un trou gros comme un 25 sous qui s'enfonce dans sa boîte crânienne. Un souvenir d'avril 1994.

Dans le sud-ouest du Rwanda, non loin de la ville de Gikongoro, se trouve une petite commune, Murambi. Sur une colline isolée, tout près, où le soleil tape fort, on avait entrepris la construction d'une école technique. La colline domine la région et offre un panorama digne du Rwanda : vallons verdoyants, collines aux versants cultivés. Quand on regarde tout autour du Mémorial, on découvre le plus beau pays du monde, pourtant situé au centre de l'horreur.

L'histoire commence ainsi :

Après le déclenchement du génocide, dans la nuit du 6 au 7 avril 1994, les autorités rwandaises font courir une rumeur : « Les Tutsis peuvent se réfugier à l'école technique de Murambi. On les y laissera en paix. » Les Tutsis n'attendent pas qu'on le leur répète. Rapidement, ils se regroupent sur la colline, apportant avec eux le minimum. Au total, près de 50 000 personnes menacées (Tutsis et, dans une moindre proportion, Hutus modérés) trouvent refuge sur le site de l'école technique. Comme si la population de Saint-Hyacinthe allait se réfugier sur le terrain de la polyvalente de la ville.

Une fois les victimes ciblées parfaitement regroupées, les miliciens interahamwe aidés de la population hutue locale embrigadée encerclent le site et isolent les réfugiés. On coupe l'eau et le passage de vivres. Pendant près de deux semaines, on affame les futures victimes, afin de faciliter la besogne qu'il faudra abattre tôt ou tard.

Dans la nuit du 21 avril, l'attaque commence. Machettes, gourdins, bouts de bois. On défonce des crânes, on tranche des cous, on fracasse des bébés en les lançant contre les murs. Le massacre durera jusqu'au lendemain. Au bout d'une nuit et un jour, entre 45 000 et 50 000 Tutsis sont tués.

Tandis que le génocide se poursuit ailleurs, tandis que les assassins prennent la route vers d'autres massacres, les génocidaires entreprennent de creuser des fosses communes sommaires sur le site. Cependant, on se lasse vite de cette besogne répugnante. Il y a mieux à faire ailleurs : massacres et, en guise de récompense, pillages des parcelles tutsies abandonnées, saisies de tôles si commodes pour se protéger des intempéries, dépeçage du bétail des victimes pour se bourrer la panse et festoyer. Sur la colline de l'école, des cadavres continueront donc de pourrir un peu partout.

Le vent tourne. Le FPR (le Front patriotique rwandais des Tutsis) prend Kigali. Les Hutus, eux, prennent la fuite vers les pays voisins.

Pendant tout ce temps, une mission militaire française est présente au Rwanda. Depuis des années, avec l'appui indéniable du président socialiste Mitterrand, la France aide, militarise et conseille le gouvernement hutu ethnocentriste rwandais, craignant que les opposants tutsis ne fassent passer le Rwanda dans la sphère d'influence américaine.

Quelques semaines après le début du génocide, un détachement de militaires français met sur pied l'opération Turquoise. Ce que les Français appellent une zone libre sur le territoire rwandais devient, en quelque sorte, un couloir qui permet aux Hutus génocidaires de fuir vers le Zaïre voisin de Mobutu.

Le commandement français installe sa base sud-ouest sur la colline de Murambi, dans les locaux de cette école technique en construction. Sur les fosses communes encore fraîches, on dresse des terrains de volley-ball pour divertir les légionnaires français. Mais l'odeur infecte qui règne sur le site et l'insalubrité des lieux causée par les cadavres en putréfaction que l'on trouve encore un peu partout sur cette colline forcent le commandement français à déménager son Q.G. Et puis, on comprend que la situation pourrait s'avérer gênante pour le gouvernement français…

Depuis, la France n'a toujours pas demandé pardon au Rwanda. Mais les 50 000 corps gisent toujours là. Les visiteurs peuvent les observer et les sentir. La trentaine de salles de classe de l'école contiennent des ossuaires ou des cadavres conservés dans la chaux. Parmi ces squelettes, parfois d'enfants ou de bébés, certains portent toujours une touffe de cheveux, d'autres sont couverts de bouts de vêtements ou ont le cou ceint d'un chapelet. Il suffit de projeter les gens que l'on aime dans cet état, et c'est parfaitement insupportable.

# Mal chronique

**(26 avril 2007)**

Je n'étais pas très loin de la mort, à Edmundston New-Bi.

Plus précisément, j'étais couché nu sur le plancher glacial de la salle de bain de mon Comfort Inn en train de me demander: « À quoi bon ? » Bref, le week-end dernier, se tenait là-bas le Salon du livre et, comme la plupart des auteurs, entre les séances de signature, j'occupais mes temps libres de la manière qui s'impose lorsque l'on est un écrivain digne de ce nom.

Les Comfort Inn, comme tous les N'importe quoi Inn, sont conçus pour ne provoquer aucune surprise. D'ailleurs, on paye pour ce confort automatique. Celui d'Edmundston est très réussi. C'est comme les salons funéraires: de Montréal à Gaspé, d'Amos à Sherbrooke, mêmes décors, mêmes us, même impression de fausse personnalisation. C'est *Décore ta mort*. Je crois que cette chaîne d'hôtels se meuble au même endroit que les salons funéraires, sinon c'est qu'on fabrique des cercueils en retailles de meubles de Comfort Inn. Faites le test: couchez-vous sur un lit de Comfort Inn, les bras posés sur le ventre. Vous aurez un avant-goût de mort.

C'est bâti pour nous faire croire qu'on est bien.

Au-dessus de la tête de lit, un tableau de paysage si nul que son auteur a préféré ne pas signer. Une œuvre pseudo-artistique fabriquée par ordinateur en Chine. On trouve certainement une inscription « made in China » derrière le tableau vitré, mais impossible de vérifier : l'œuvre est vissée au mur. Quand on construit un Comfort Inn, les murs viennent déjà décorés de ces tableaux. Rien pour créer une émotion. Une image si anonyme que je n'aurais pas dû la remarquer.

Les designers de Comfort Inn sont des maîtres du beige, des artistes de la standardisation. Avant de faire carrière dans le design du confort mondialisé, ces créateurs (!) hésitaient entre composer des chansons pour Marie-Élaine Thibert, réaliser des magazines télé pour Canal Vie ou écrire des gags pour *Juste pour rire*, des gags qui seront drôles au Japon ou en Tchétchénie, de l'humour muet conçu pour tous les coins de la planète, même là où l'on interdit de parler. Rien qui dérange. Chefs cuisiniers, ils cuisineraient des bonbons à la menthe. L'accommodement raisonnable intégral. Un Comfort Inn, c'est comme Gregory Charles : pas moyen de haïr, aucune raison de triper.

Chaque jour, on m'offre un savon neuf, dans son emballage. Des verres stérilisés emballés. Quand on fait la chambre, on prend même soin d'emballer mon siège de toilette. Un confort emballé. Il y règne une odeur de propreté mécanisée. Et pour me sentir appartenir au monde des vivants, on trouve un téléviseur. Je peux rester branché sur ma cellule québécoise et regarder Gildor Roy m'anesthésier à propos de Britney Spears qui s'achète des perruques, ou me brancher sur le reste de la planète via CNN et observer le pyromane américain jouer au pompier partout dans le monde.

Si je sors du Comfort Inn, je peux manger chez McDo, m'acheter des piles AA ou des rasoirs Bic. Comme si j'étais à Entebbe en Ouganda, à Springfield dans le Delaware ou à Edmundston au Nouveau-Brunswick. Je ne sais plus très bien où je suis ni à quel monde j'appartiens. J'ai l'impression que l'on essaye de m'effacer en me faisant appartenir à ce décor engourdissant.

La seule chose qui change dans une chambre de Comfort Inn, c'est le visiteur. Et là, c'est moi, et mon téléphone sonne :

– Avard, c'est Prevate.

Prevate, c'est l'éditeur adjoint du *ICI*. Mais ça, vous le savez déjà. Chaque fois qu'il m'appelle, ça ne nous fait jamais plaisir.

– On a eu des courriels suite à ta chronique à propos du Mémorial rwandais de Malambi.

– Murambi.

– Peu importe. Dans ta chronique, tu parles de 50 000 morts. Paraît que ce chiffre-là est contesté. Ça serait peut-être plus près de 25 000.

– Alors, hourra ! Voilà 25 000 victimes qui ressuscitent ! Annonce-le à la une ! Je crois que tu tiens une chouette nouvelle ! Ça réjouira ces 25 000 personnes d'apprendre qu'elles sont vivantes !

– Tu m'énerves, Avard… Y a même des courriels qui disent que c'est les Tutsis qui auraient tout déclenché en abattant l'avion du président Yabadarama.

– Habyarimana.

– Peu importe.

– Alors, tu veux quoi, Sylvain ? Que je réécrive ma chronique ? Que je réécrive l'Histoire ?

– Si tu pouvais seulement éviter les sujets délicats, ça nous aiderait. Pourquoi tu ne fais pas des chroniques sur le Canadien de Montréal ? Ça marche fort pour Stéphane Laporte ! Ou sur le printemps ? Il fait super beau dehors ! Ou sur les perruques de Britney Spears ?

J'avais chaud à l'oreille et ça contrastait avec la froideur du plancher de céramique. J'ai raccroché. Vu du sol de cette salle de bain de Comfort Inn, j'avais l'envahissante impression d'être le témoin impuissant d'une autre sorte de génocide. Un génocide tranquille. Inodore.

Sans douleur. Glacé. J'assiste, impuissant, à l'amalgame de mon monde, à la numérisation des goûts et des émotions, au règne de l'ennui convenu, du confort emballé, à la condamnation au bonheur plastique, à l'extermination de l'individualité.

Les Vulgaires Machins ont raison: nous sommes noyés par le vide.

Je me suis ressaisi. Je devais retourner rencontrer les Brayons* d'Edmundston au Salon du livre. Ils méritent de voir l'Avard qu'on leur vend, l'Avard de la télé, celui « mal rasé mais sympathique ». J'ai remis ma face d'Avard™ (mi-arrogant/mi-mignon, ainsi que mon sourire en coin, côté gauche taquin et un brin lubrique, côté droit sobre et pudique), et je suis sorti du Comfort Inn pour jouer ce jeu qui nous avale lentement mais sûrement.

* Un brayon, avec un petit b, c'est un piège pour prendre les bêtes puantes. Avec un B majuscule, c'est un francophone vivant dans la région d'Edmundston au Nouveau-Brunswick.

# Salvateur sofa*

**(3 mai 2007)**

Je patientais dans la salle d'attente de ma psy. Je consulte une psy parce que le monde va mal et parce que je traîne beaucoup de culpabilité, la plupart ayant trait à ce que j'ai écrit dans cette chronique. Ça nous occupe tous les deux pendant 55 minutes chaque semaine. Bref, cette chronique me coûte presque autant qu'elle me rapporte. J'attendais d'aller mieux, donc, au moment où je suis tombé sur le numéro de mai 2007 du magazine *Clin d'œil*.

Pour la première fois de ma vie, j'étrennais un magazine de salle d'attente qui traînera là pour les huit prochaines années. Ce constat transformait cet instant en un indéniable moment magique. Un petit bonheur.

Depuis quelque temps, je répertorie ces petits bonheurs. On m'a fait cette suggestion pour rester à l'affût du bonheur; sinon, j'ai le défaut de voir tout en noir. Jusqu'à maintenant, j'ai noté deux de ces moments qui provoquent de petits sourires intérieurs: Macha Grenon est née le lendemain de moi et Joséphine, le grand

* Très mauvais jeu de mots avec Salvador Dali. D'ailleurs, quand les gens m'en font la remarque, je m'évanouis de honte.

amour de Napoléon, savait comme moi faire bouger ses oreilles. On a les réjouissances que l'on peut.

Mais ce troisième petit bonheur allait me faire déchanter.

Sur la couverture immaculée du magazine, mon œil est attiré par un titre: « Sauver la planète… de son sofa ». Lorsqu'on lit « sauver la planète », la tâche impressionne. Décourage, même. Mais lorsque suivi de « de son sofa », ce titre peut produire deux effets: soulager ou exaspérer. Vous commencez à me connaître assez pour deviner que je me range du côté des exaspérés.

D'abord, on est surpris que ce titre se trouve en bas, à gauche, tout chenu, versus d'autres titres tels « Virée shopping à Los Angeles: toutes les bonnes adresses » ou « Le plaisir de bitcher ». Je ne connais pas la politique éditoriale de *Clin d'œil*, mais quand on annonce pouvoir sauver la planète de son sofa, moi j'en aurais fait mon titre principal. En caractères gras trans. Mieux: on organise une conférence de presse, on festoie nus, réjouis d'être soulagés du poids d'une menace si terrible !

Mais voilà: « sauver la planète de son sofa », ça ne se peut pas, et le titreur s'en doutait assez pour ne pas insister.

Les miracles n'arrivent pas sur les sofas. On ne sauve pas la planète depuis son sofa, pas plus qu'on n'élimine la misère ou n'invente le coq qui chie des œufs. À moins de se suicider sur son sofa, il n'y a rien qu'on puisse y faire pour aider la planète. D'un sofa, on ne peut même pas changer une ampoule à incandescence du plafond pour une ampoule moins énergivore, ce qui s'avère la trouvaille de Harper pour stopper net le réchauffement climatique.

En partant, il y a fort à parier que notre sofa lui-même nuit à la planète. Par ses teintures chimiques, par ses bourrures synthétiques et par son transport depuis le pays asiatique d'où on le fabrique, notre sofa devient un carnage environnemental. Pire : sur notre sofa de salon, on est exposé à des inepties comme la pub télé de Chrysler Dodge Jeep qui donne 1000 $ d'essence pour aller spiner dans la bouette.

Et puis qu'est-ce que ça peut foutre, l'état de la planète, à quelqu'un dont la contribution exige qu'il ne bouge pas les fesses de son sofa ? Le problème avec les gens assis sur des sofas, c'est qu'on ne peut pas leur botter le cul.

Devant un titre comme « Sauver la planète… de son sofa » me revient en tête un bon mot d'Albert Brie : « Les bêtises imprimées sont plus désespérantes que les bêtises exprimées, parce qu'on y a réfléchi. » Mais lâchons la superficialité du titre en couverture et donnons une chance à l'article. Après tout, *Clin d'œil* est une publication de PKP, celui-là même qu'on a vu planter des arbres lors du

Jour de la Terre tandis que Quebecor plantait là ses journalistes du *Journal de Québec*.

L'article en question propose 15 façons de sauver le monde de son sofa que je résumerais en une seule : consommer via Internet. On assiste donc au placement de 15 produits via 15 adresses électroniques qui nous permettront de nous procurer des articles à la mode écolo, des voyages équitables, des épices bios, des séjours dans un spa santé, des hypothèques écologiques, du papier de toilette recyclé pour essuyer nos grosses fesses pleines des bières équitables, fesses qui n'entreront plus dans des bobettes en fibre de pin recyclée ou dans des jeans éthiques (vendus exclusivement dans une boutique parisienne) parce que nous restons le cul sur notre sofa à ne rien sauver du tout.

De la même manière que toutes les crèmes antirides vendues dans ce magazine ne nous rajeuniront jamais, rester assis sur son sofa à magasiner sur le web ne rendra pas écologiste.

Visiblement, selon *Clin d'œil*, il faut de l'argent pour sauver la planète. Ou alors, on peut la sauver à crédit. Un titre plus représentatif aurait été « Sauver la planète maintenant… et payer dans un mois ». D'ailleurs, parlant d'argent, quand on connaît les cachets versés aux pigistes qui rédigent les articles de ces magazines, on comprend mieux que les coins soient tournés aussi ronds et que l'intelligence roule parfois dans le dalot.

Sauver la planète de son sofa ? Hum…

Ah ! On m'appelle ! C'est mon tour : je vais m'asseoir sur le sofa de ma psy pour essayer d'être heureux. J'espère qu'elle me proposera quelques trucs faciles…

# Rénovons nos mœurs

**(10 mai 2007)**

Une fille fait du taekwondo avec un voile.

Pour prier, des étudiants musulmans se lavent les pieds dans les toilettes de nos universités.

Yves Desgagnés réalise des films.

Une cabane à sucre sert des bines sans lard.

Décidément, notre monde devient fou. Et j'aime cette folie.

Plusieurs ont saigné du nez tant ils étaient frustrés d'apprendre que la Cour suprême autorisait le port du kirpan à l'école. Il est si rare de voir des garçons qui exigent le droit de fréquenter l'école, on n'allait pas en empêcher un, si sikh fût-il. Qu'on se rassure : la Cour suprême du Canada autorise ; elle n'oblige pas. Madame Gendron de la rue Gendron à Gendron n'aura pas à acheter cet article à la prochaine rentrée scolaire.

Une fillette veut jouer au soccer avec un voile ? So what !?! Battez cette équipe pis that's it ! Le jour où l'entraîneur des musulmanes sera tanné des défaites parce que ses joueuses perdent le ballon de vue avec le voile dans la face, il se réveillera. À moins que l'irritation émane des victoires de cette équipe aux pratiques « pas catholiques » ? Cette équipe de voilées bénéficie-t-elle du soutien de son dieu ? Est-ce qu'au soccer, leur vilain Mahomet est meilleur que notre bon Jésus ?

Les arguments les plus zoufs sont entendus pour marquer une virulente désapprobation de tout accommodement raisonnable. Le pire : « Pensez-vous que si j'arriverais (sic) en Iran, les Niraniens (sic) me laisseraient me construire un église (sic) ? » Quel argument de pee-wee ! D'abord, qui souhaite s'installer en Iran ? Pour y construire une église ? C'est justement parce que plusieurs États ne tolèrent pas grand-chose qu'on ne veut pas y vivre. On veut vivre ici, librement. Et pratiquer notre véritable culte à nous : la Rénovation.

*Notre bois, qui est traité,*
*Que ton plomb soit sanctifié*

Chaque samedi avant-midi, je me rends au temple : la quincaillerie. On ne se trompe pas : dans ma communauté, la quincaillerie est souvent la plus imposante construction, celle au dôme en tôle gaufrée, près d'un minaret lumineux au bord du boulevard. Je me recueille en silence devant les appareils liturgiques : scie sauteuse, niveau au laser, tournevis à pile. Un prêtre m'enseigne leurs divers bienfaits. J'adopte une perceuse trois vitesses que j'exposerai dans mon atelier, ce sanctuaire privé où l'on est prié de toucher avec les yeux.

Les fêtes sacrées? Les changements saisonniers. Chaque automne, je me prosterne devant les poêles à combustion lente et les clôtures en latte de bois, si commodes pour protéger mes cèdres contre l'hiver. Quand décembre revient, on célèbre la poche de sel et la pelle en plastique au manche télescopique muni d'une gaine de caoutchouc hypoallergène conçue pour plus d'adhérence aux mitaines. Au printemps, les outils de jardinier, les chaises de synthèse, la vie de résine.

*Je crois au clou*
*Fer tout puissant*
*Créateur de mur ou de patio*

Faire du pochoir, tapisser, installer une moulure o'gee, voilà ma liturgie. Ma prière: que ça soit beau quand mon prochain viendra. Je rêve d'un monde plus commode, une porte accordéon qui ne se déplotera plus; d'un univers plus joli, une moulure qui rehaussera mon ordinaire; d'un environnement sain, un plancher flottant qui fera plus propre dans le sous-sol. J'espère une vie plus facile et mon culte m'autorise à y croire.

Qui n'a jamais remarqué les miraculeux effets du WD-40? Il suffit d'oindre une difficulté de la précieuse huile et le miracle se produit! Qui n'était pas lassé de serrer soi-même sa clé anglaise sur le boulon à visser? Eh bien, St-Black'n'Decker propose désormais la clé anglaise qui se serre automatiquement. À quand les souliers qui marchent tout seuls?

*Il est grand le mystère du gyproc*

Je pardonne à ceux qui ne sont pas habiles de leurs mains, les martyrs du banc de scie, les lépreux de la tache de peinture. Pour ça, il y a des jobeux, ces missionnaires qui vont d'un pécheur à l'autre. Il y a des tireurs de joints professionnels, ces évêques de la spatule miraculeuse.

Pendant la semaine, je nourris mon âme des évangiles et regarde mes télé-évangélistes: *Décore ta vie*, *Ma Maison Rona*, *Manon*... J'y entends la bonne nouvelle («Ils ont enfin inventé un essuie-pinceau électrique!»), j'y découvre la Vérité («Ostie que ça flashe un faux fini!») et je prie («Quand le préfini reviendra-t-il à la mode?»). Je prie la sainte Famille, le couple Canadian Tire qui accouche de tant d'outils nouveaux. Et une fois par année, pèlerinage obligatoire à La Mecque du bizouneux: le Salon de la rénovation.

*Il prit la céramique, la rompit*
*et la donna à son helpeux en disant:*
*«Celle-ci va en haut, à gauche.*
*Pose-la drette, elle sera là pour l'éternité.»*

Il s'en trouvera pour juger mon mode de vie, mon culte. Ceux qui diront que mon existence est vide, je les invite à se questionner sur la leur et soupeser leurs valeurs. Quant à moi, j'apprécie ma liberté de croire en un monde meilleur, même s'il a besoin de deux couches. Pendant un instant, jouir de la liberté de ne penser à rien sinon à un monde plus beau, c'est un droit que j'accepte de partager avec d'autres cultes.

Et si mon fil extension le permettait, j'enverrais mes enfants à l'école avec une scie sauteuse, car tel est mon sacerdoce.

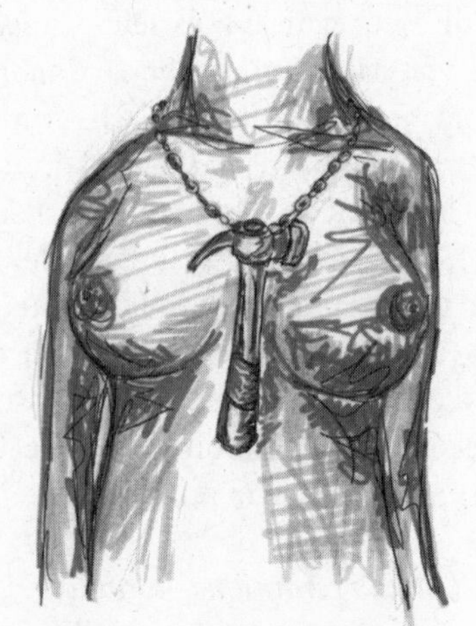

Avouez qu'en guise de signe ostentatoire, ça en jette!

# Nos coccyx

**(17 mai 2007)**

Benoît Pelletier, un scripteur qui enseigne la créativité à l'École nationale de l'humour, a élaboré une chouette stratégie parmi d'autres pour faire débloquer la créativité, « le coccyx ». Le principe est simple : remettre en question de vieilles idées ou conceptions, intégrées et assimilées depuis si longtemps qu'elles donnent l'impression de faire partie de soi mais qui, en réalité, m'empêchent d'avancer, d'évoluer. Comme le coccyx, qui s'avère un reliquat de notre passé animal et qui ne nous servirait à rien, sinon à faire bobo lorsque l'on tombe dessus.

Des coccyx, on en croise à longueur de journée. Notre clavier d'ordinateur en est un bel exemple. À l'origine, sur le premier clavier de machine à écrire, les voyelles étaient au centre. Logiques, les concepteurs ont réuni à portée d'index les lettres qui revenaient le plus souvent. Malheureusement, sur l'appareil originel, dès que l'on gagnait un peu de vitesse, les branches se coinçaient à répétition et s'entremêlaient au lieu de frapper le rouleau. Les ingénieurs ont alors ralenti la vitesse de frappe et diminué la fréquence des

« accidents de marteaux » en éloignant les voyelles du centre du clavier, repoussant ces lettres vers des doigts moins agiles. Pour judicieuse que fût cette amélioration à l'époque de la machine à écrire, elle n'a cependant plus sa raison d'être aujourd'hui, à l'ère du clavier informatique. La disposition des lettres sur le clavier de nos ordinateurs est donc un « coccyx technologique ».

Le changement de certaines habitudes crée de nouveaux coccyx. Le cendrier dans une voiture est un « coccyx d'habitude » et tend à devenir une tirelire pour parcomètre. La cenne noire est un « coccyx économique » qui ne sert qu'à alourdir les poches, transmettre les microbes et donner l'impression qu'un électroménager à 999,99 dollars n'en coûte pas 1000. Avec les souliers jetables à huit piasses, le cordonnier est devenu un « métier coccyx ». L'Afrique, dès qu'on aura terminé de piller ses ressources, sera un « coccyx géographique ». La morale est un « coccyx sociologique » : avant, elle n'était utile qu'à garder servile et docile la masse ignorante au profit de tous ceux qui ne s'en encombraient pas. Maintenant que nous sommes plus instruits et mieux informés, la morale n'a plus la moindre valeur.

Le monde continue son évolution à une vitesse folle, et les coccyx se multiplieront, notamment à cause du réchauffement climatique. Les brise-glace, les chiens esquimaux, les pneus d'hiver seront des « coccyx climatiques » appelés à disparaître. La chanson de Malajube « Montréal -40 » deviendra du folklore.

Les abeilles seraient en voie d'extinction ? On risque alors de retrouver des « coccyx lexicaux ». Lorsque l'on parlera de « lèvres qui goûtent le miel », on fera référence à un concept d'un autre temps. Un peu comme lorsqu'il est question d'absinthe aujourd'hui, le miel entrera dans le jargon des poètes de demain. Comment me rappeler le goût de tes lèvres lorsque le parfum du miel aura disparu ?

La banane est un « coccyx naturel ». Bien qu'on aime la dévêtir et mordre dans sa chair tendre, la banane n'a pas évolué d'un iota. Faites l'expérience : la banane compte en poids autant de pelure que de chair. Lucien Bouchard ne doit pas aimer la banane, cet improductif fruit obsolète. De toute façon, manger des fruits et des légumes est un « coccyx alimentaire ». Depuis, il y a les vitamines Jean-Coutu. Et les vitamines Jean-Coutu, au contraire du maïs, ça ne coince pas entre les dents, et les enfants en raffolent !

Il y a des coccyx qui font presque l'unanimité et qui seraient simples à éliminer. Par exemple, la reine. Pourquoi ne bottons-nous pas le coccyx de la reine hors de notre histoire ? Hors de nos dollars et de nos sous ? Puisque l'Écosse le fera peut-être avant nous, je propose que l'on remplace dès aujourd'hui la reine obsolète de nos billets de 20 dollars par un Écossais qui a l'habitude du boulot : Sandy McTire. Depuis 1961, monsieur McTire figure sur l'argent Canadian Tire. Voilà une solution qui ne dépaysera personne.

Pour certains, la social-démocratie serait un « coccyx sociopolitique ». J'entendais un vieux dire : « Avant j'étais social-démocrate ; mais là, c'est fini, ça. » Ces mêmes vieux ont maintenant voté pour l'ADQ qui promet de s'occuper d'eux. Est-ce que l'on peut être social-démocrate juste quand ça nous arrange ? Parce que, si tel est le cas, je connais bien des jeunes qui pourraient décider de n'être plus sociaux-démocrates pour les vieux cons et de laisser crever ces dettes séniles dans leur marde.

Néanmoins, avant de déclarer « coccyx sociopolitiques » l'indépendance, la solidarité, le syndicalisme ou la social-démocratie et souhaiter s'en débarrasser, on devrait y penser à deux fois. Car il n'empêche que ceci : le coccyx permet de remarquer quand on se fait enculer.

# Vous rêvez d'un spa?

**(24 mai 2007)**

Dès 2009, les chaînes de télévision généraliste pourront diffuser autant de pub qu'elles le désireront. Cette autorisation du CRTC viserait à permettre aux réseaux de financer leur transformation en Haute Définition. Depuis que votre télé est HD, la trouvez-vous meilleure ? Moi non plus. Mais pourquoi limiter l'invasion publicitaire à la télé ?

Pour de vrai
*Le 4e roman de François Avard*
Maintenant disponible en format de poche !

L'annonce d'un élargissement jusqu'à l'écartèlement du temps publicitaire en télé m'a complètement réjoui pour ma confrérie de créateurs et scénaristes. D'une part, quand 30 minutes de télé deviendront moins que les 22 min 30 s de fiction que l'on compte aujourd'hui, ç'en fera moins à écrire.

D'autre part, puisqu'on compte de plus en plus de séries américaines, de quiz et de téléréalités, où nos créateurs pourront-ils gagner leur vie et s'éclater ? En publicité ! Et ce n'est pas toujours facile : imaginez le boulot des mandataires chargés de convaincre une génération d'obèses que le t-shirt bedaine est une façon d'être plus belle ?

Hier, j'ai regardé la télé. Inouï ! Constatez combien l'imagination est mise au service de la pub. Ce n'est pas monsieur Toutlemonde qui peut écrire « Les serviettes Always, une sensation de propreté comme après la douche ». Pour la chandelle Off antimoustiques, on nous précise que « La chandelle diffuse une agréable lumière ». La lueur de la chandelle, dans la prose du créateur, devient « une agréable lumière » ! Ça donne envie d'une invasion de moustiques ! Pour Tim Hortons, les cerveaux les plus créatifs sont parvenus à rendre magique le bon vieux sandwich aux œufs. On l'a appelé « wrap » et on vous l'offre à 4,09 $. Quand on y pense, 4,09 $ pour un sandwich aux œufs, ça prend de l'imagination pour faire avaler ça, non ?

On frôle la poésie grâce aux pubs de chars. Kia : « La liberté démarre à 21 000 $ », « Surprenez la route », « L'Accent trois portes de Hyundai : des heures de plaisir ! », « Jeep Patriote : choisissez votre aventure ! » Un bijou qui fait la barbe aux auteurs de fiction : « Gillette fusion hydra-gel : préparez-vous au meilleur rasage qui soit ! » Juste le nom de la mousse, « Fusion hydra-gel », admettez avec moi qu'une imagination professionnelle est indispensable pour atteindre un tel sommet !

Mais pour ajouter « préparez-vous au meilleur rasage qui soit », en plus de la créativité, on fait preuve d'une audace inouïe. On ne dit pas simplement « C'est une mousse qui fait la job » ; on précise « Préparez-vous au meilleur rasage qui soit ! » J'en suis tout excité ! Est-ce qu'on peut s'en mettre sur la graine et se préparer à la meilleure baise qui soit ? Alléluia !

Une actrice, présumée employée chez Brick, m'affirme droit dans les yeux : « En tant qu'experte spécialement formée, je vais vous aider à choisir le meilleur matelas ! » Un auteur a écrit ça !!! Pour vous et moi, les 36 meilleurs pieds carrés de matelas sont ceux dont les draps sentent l'être aimé. Mais, chez Brick, on se déclare expert en matelas. L'affirmation est complètement gratuite. Seule une plume parfaitement affranchie peut se permettre cette liberté.

Vous croyez avoir tout lu ? L'aspirateur central Cyclo-Vac nous précise que l'on accède à un « nouveau style de vie ». Rien de moins ! Il n'est pas question de changer de religion, de sexe ou de pays : on parle d'aspirateur. Avouez qu'il faut un cerveau créatif sans la moindre inhibition pour songer à accoler « nouveau style de vie » et « aspirateur ».

Depuis toujours, plusieurs créateurs consomment des substances qui altèrent leur jugement. Bel exemple : la pub du Festival de jazz où l'on déclare « 11 jours de moments inoubliables ». Ou encore, pour annoncer

Adamo, on stipule qu'il s'agit de « l'un des plus grands chanteurs, empreint de vérité, de fantaisie ! » Réunir les mots « Adamo » et « fantaisie » dans la même phrase, pour moi, ça devrait s'enseigner à l'École nationale de l'humour. C'est plagier l'absurdité folle des Denis Drolet.

Plus fou encore : « Enfin, Gérard Lenorman est de retour ! » Ici, on notera l'utilisation parfaitement inappropriée de l'adverbe « enfin ». On peut s'exclamer « enfin » lorsqu'on aura trouvé le remède au cancer, mais pour marquer le retour de Gérard Lenorman, on s'entend pour dire qu'il y a là une tonne d'exagération. L'auteur qui a écrit « Enfin, Gérard Lenorman est de retour » est soit un sacré comique, soit un joli spécimen d'excessivité. Le genre à rentrer à la maison et s'exclamer : « Attaboy, minou ! On mange du baloney ! »

En plus des publicités traditionnelles, les réseaux ne seront pas limités sur les auto-promos, ces pubs qui annoncent les émissions. Et là aussi du boulot attend les créatifs. Ce n'est pas n'importe quel tapon qui peut écrire : « Ils vous ont émus, ils vous ont fait rire, ils vous ont fait pleurer… Loft Story ! »

Dire sans dire, faire acheter sans vendre, c'est un métier. Un scénariste créatif avait jadis comme mandat de vous faire croire aux tourments et aux péripéties de ses personnages. Désormais, ce talent sera mis au travail pour vous convaincre d'acheter. Il y a eu de grandes plumes en écriture télé: Meunier, Larouche, Janette Bertrand… Dorénavant, nos maîtres à penser seront ceux qui ont convaincu Ottawa d'acheter des blindés Léopard 2 qui coûteront plus du double des 650 millions initialement prévus, et ceux qui nous convaincront de réélire Harper.

Non, chers collègues: le boulot ne manquera pas!

Sandwich aux oeufs
sur écran cathodique

Sandwich aux oeufs
sur écran HD

# Ma vraie vie plate

**(31 mai 2007)**

Jeudi dernier, j'ai participé en tant qu'acteur au tournage d'une scène de la deuxième saison de la série télé *Tout sur moi* de Stéphane Bourguignon.

Ceux qui suivent de près ma carrière de chroniqueur (maman, c'est à toi que je parle) se souviendront que j'ai obtenu ce rôle en faisant du placement de produits de Bourguignon dans une chronique passée. Est-ce la preuve de l'efficacité du placement de produits ? Qui sait, s'il suffit de dire qu'on aime quelque chose – par exemple l'œuvre de Bourguignon – pour jouer dedans, alors j'ose : j'aime beaucoup Macha Grenon.

Dans la scène en question, j'incarne François Avard. Il y aurait sûrement plein d'acteurs meilleurs que moi pour jouer François Avard, mais c'est à moi que Bourguignon a offert le rôle, certainement par souci de réalisme. Tous ceux qui ont hâte au mois d'août pour récolter leurs tomates et me les lancer, je vous rassure : je ne me prends pas pour un acteur. D'ailleurs, je n'ai aucun talent. François Avard acteur dans une pièce de théâtre, ç'aurait l'air de Martin Deschamps plongeur aux Olympiques au tremplin de 10 mètres. Mais grâce au mode de tournage « style cinéma », cette médiocrité ne paraîtra pas. Une seule caméra reprend *ad nauseam* la même scène via différents angles. Surtout via l'angle où j'aurai l'air le moins poche. C'est la beauté de ce genre de tournage : pas besoin d'être bon, un génie de l'image s'en occupera au montage.

Que l'UDA se rassérène : on continuera de préférer les vrais acteurs, ne serait-ce que par souci financier, puisque ces 28 secondes de télé avec Avard auront nécessité près de deux heures de tournage.

Le François Avard que j'interprète est parfaitement lubrique et vulgaire. Les fans de la série *Tout sur moi* se souviendront m'avoir vu en première saison, encore une fois dans le rôle de cet Avard ignoble, une caméra posée sur la bottine pour filmer sous la jupe de Macha Limonchik (http://www.youtube.com/chattesouslatable)*. Or, le même personnage sévit dans la deuxième saison. Cette fois, ce François Avard qui-fait-honte-à-sa-mère rend service au personnage Valérie et espère troquer ce service contre des faveurs sexuelles. Je pousse des répliques signées Bourguignon telles que : « Ouan mais là, Val, on va quand même avoir le temps pour une p'tite vite ? »

* Le clip est une réalisation de ABP.

Ce François Avard lubrique est un mythe. De la pure fiction. Dans ma vraie vie, je rendrais service à Valérie par amour et ne partagerais le plaisir charnel qu'avec elle, en pure communion amoureuse. Car voyez-vous, ma vraie vie est plate. Enfin, précisons : pas-assez-intéressante-pour-la-télé. Vous ne voudriez pas voir ma vraie vie à la télé. Si ma vraie vie était intéressante, c'est à Rémi Girard qu'on aurait demandé de me jouer.

La magie de la télé, de la fiction, le beau de l'imagination de scénaristes comme Bourguignon, c'est de sélectionner des morceaux de vie, de les exagérer, d'accentuer des travers, des impressions. Bref, sélectionner l'attrayant parmi le plate. C'est un talent reconnu aux artistes. Or, tout le monde n'est pas artiste.

Si je vous dis tout cela cette semaine, c'est parce que je suis allé perdre trois heures de ma vie au bureau des passeports. Ce jour-là, je joue le vrai François Avard dans sa vie plate et pendant une trentaine de minutes, assise en face de moi dans la salle d'attente, une connasse parle dans son st-ostie de cellulaire. Oscillant entre des sommets d'insignifiance et des abîmes de vacuité, elle raconte avec moult détails sa garden-party du week-end précédent à quelqu'un qui – miracle ? maladie mentale ? – semble s'y intéresser. J'ai droit au menu complet, à la description des robes, des coiffures, du burn-out du beau-frère, tout !

Il n'y a que le sexe qu'elle n'a pas abordé, probablement parce que l'affligeante commère n'a plus baisé depuis vingt ans.

Il se passe quelque chose lorsqu'on parle au cellulaire. Vous l'aurez remarqué, c'est comme si notre notion d'espace s'atrophiait. Au volant, ça se vérifie : le champ de vision d'un conducteur qui parle au cellulaire rétrécit. En pleine conversation au cellulaire, on entre dans une bulle qui nous fait perdre contact avec notre environnement immédiat. Et là, pendant une demi-heure, mon irritante pie a complètement oublié où elle était, c'est-à-dire parmi une foule à bout de nerfs. Se passionnant pour ce qu'elle raconte, la truie ne remarque pas les gens qui soupirent d'impatience autour. On comptait près de 200 personnes dans la salle d'attente mal aérée. On en entendait une seule : elle. Parce que, voyez-vous, les gens qui attendaient, lorsqu'ils parlaient entre eux, avaient contact avec la réalité, l'environnement immédiat et, donc, chuchotaient.

Si je vous dis tout cela cette semaine, c'est parce qu'Air France, dans un modèle d'Airbus spécialement aménagé, mettra à l'essai l'usage du cellulaire dans l'avion pour les passagers. Après le subtil duel pour l'accoudoir avec votre voisin, son odeur pas toujours heureuse, ses déplacements répétitifs, s'ajoutera peut-être bientôt l'audition de ses conversations insignifiantes au cellulaire. Imaginez six heures de vol près d'un tata qui parle de sa dernière partie de golf au téléphone, d'une épaisse qui raconte ses rêves, d'une Denise Bombardier qui donne son opinion !

TOUT NE MÉRITE PAS D'ÊTRE ENTENDU, SU OU PARTAGÉ !

C'est pour ça que Bourguignon préfère m'imaginer lubrique. S'il me montrait tel que je suis, le spectacle ne serait digne d'aucun intérêt. Surtout assis à côté de vous en avion.

Route,
vue d'un automobiliste

Route, vue d'un
automobiliste parlant au
téléphone

# George W. Bush
# (1946-2007)

**(07 juin 2007)**

Le 21 août, le President of de les United States of de l'America sera de passage au Québec. Plus précisément, il viendra faire un coucou au sommet de l'ALENA qui se tiendra au Château Montebello en Outaouais. Ne craignez rien : l'endroit sera sécurisé. On a annoncé que l'on rehaussait la hauteur des clôtures du Château*. Normalement, Bush ne devrait pas pouvoir s'enfuir de la zone sous haute surveillance.

Car l'homme semble très dangereux. Pour l'occasion, on établira un périmètre de sécurité qui ira de Windsor à Rimouski, de Winnipeg à Candiac. Puisque les sous-marins de l'armée canadienne prennent feu sous l'eau, que nos hélicoptères se plantent dans les airs, l'armée canadienne a été envoyée en Afghanistan pour ne provoquer aucun incident regrettable ici. On a plutôt confié la sécurité de la population à la SQ.

Lors de son congrès à l'Auberge des Seigneurs de Saint-Hyacinthe, des policiers

* Les chiffres sont sortis début 2008 : il en coûta 28 millions de dollars pour une rencontre de 22 heures.

de la SQ en état d'ébriété ont provoqué bien du grabuge pendant la nuit dans l'auberge. Certains auraient frappé aux portes des chambres, hurlant à la blague: « Police! Ouvrez ! » Bref, des bœufs en état d'ébriété sur le party. Oh, comme j'aimerais que ces gars-là soient chargés de la sécurité rapprochée au Château Montebello…

Je ne comprends pas pourquoi on prend toutes ces mesures pour sécuriser la visite de Bush. D'abord, entre vous et moi, le Bush n'est pas ce qu'on pourrait appeler une grosse terreur. On parle ici d'une Bushette. Vieilli, maigrichou, un peu zouf, s'il tente de s'enfuir, il suffirait d'une jambette puis d'un bon coup de pied dans les couilles pour le maîtriser.

Et puis s'il est si dangereux, pourquoi lui permet-on d'entrer au pays? On paye une fortune pour sécuriser nos frontières. Or, à la première occasion internationale, devant tous les médias d'Amérique, on permet l'entrée d'un criminel de guerre! Belle façon de montrer le sérieux de notre système de sécurité!!!

Bizarre, ce Harper: il vient de faire adopter la Loi C-9 qui gardera les criminels dangereux derrière les barreaux, mais il déroule le tapis rouge pour le tueur en série le plus meurtrier de l'histoire. Bizarres, ces autorités canadiennes si soupçonneuses lorsqu'un individu porte un nom arabe, mais qui n'allument pas lors de la visite du terroriste le plus médiatisé du monde.

Les autorités canadiennes ne lisent-elles pas les journaux?

Selon une légende urbaine, si on répète trois fois d'affilée dans un courriel ou sur le web « Je veux assassiner George W. Bush », « Je veux assassiner George W. Bush », « Je veux assassiner George W. Bush », normalement le FBI devrait frapper à la porte chez moi pour me poser quelques questions. Puisque cette chronique est aussi disponible sur le web (canoë.pkp)*, l'alerte doit être déjà donnée au Pentagone :

*– There is a guy, in Saint-Hyacinthe, that wish to kill mister Bush.*

*– How can you be sure of that?*

*– He wrote it three times on the web.*

*– And why did he wrote that three times???*

*– Because he sure wants to kill the President. One time, maybe it's a joke. Two times, he hesitates. Three times, it's a fact.*

*– O.K. Go and get this bastard!*

Je vous tiens au courant si le FBI sonne à ma porte…

Depuis l'assassinat de John F. Kennedy, l'Elm Street et tout le Dealey Plaza de Dallas sont désormais des lieux touristiques très prisés. Alors, s'il pognait l'envie aux gens de l'Outaouais de rehausser le tourisme dans leur magnifique région, vous savez ce que vous avez à faire…

* Rassure-toi, cher acheteur de ce livre : « était » disponible sur le web, au moment de sa parution dans le *ICI*, serait plus exact…

Idéalement, pour ajouter au mythe de la conduite du crime, plusieurs tueurs qui tirent d'endroits différents, une balle qui frappe la tête de Bush, le tout filmé par un téléphone cellulaire, des images aussitôt envoyées sur YouTube et hop, l'Outaouais est sur la « mappe » ! Une fois sur place, les touristes sauront apprécier les Outaouaises, certainement les plus belles Québécoises. Il est si facile de tomber amoureux d'une Outaouaise !

Qu'est-ce que la vie d'un homme en comparaison de toutes les retombées économiques de son assassinat ? Sacrifier des vies à des fins économiques, n'est-ce pas le leitmotiv de ce visiteur ?

Oh, mon téléphone sonne ! Déjà le FBI ? ? ?

– Allô ?

– Avard, c'est Prevate.

Sylvain Prevate. Éditeur adjoint du *ICI*, presque bras droit de PKP ou, pour les intimes, poignet du boss.

– C'est drôle, Sylvain : t'es plus efficace que le FBI !

– Non, c'est pas drôle. Dans ta chronique, tu incites au meurtre de George Bush.

– J'incite à quoi ?

– Au meurtre de George Bush.

– Excuse, je passais dans un tunnel. Tu disais que j'incite à... ?

– Au meurtre de George Bush !

– Sylvain Prevate, du 465 rue McGill, 3e étage, à Montréal, viens-tu de parler trois fois du meurtre de George Bush ? Prépare tes valises, mon Sylvain. Pis laisse faire les gilets à manches longues : il fait chaud à Guantanamo.

# Pâté aux bananes et patates

**(14 juin 2007)**

Je me suis acheté une lampe de poche. En cas. Ce geste autrefois banal n'est plus à la portée de tous. Désormais, pour ouvrir l'emballage de plastique dur, il faut des outils spécialisés et beaucoup de patience. Ces emballages machiavéliques, fermés sous pression des quatre côtés, collés avec la même colle qui sert aux tuiles des navettes spatiales, il est impossible de les ouvrir sans sacrer ni tout casser.

En plus, ce sont toujours des gogosses à cinq piasses que l'on nous emballe dans ces paquets de plastique blindé qui semblent valoir le double du produit qu'ils contiennent. Qu'est-ce qu'ils attendent pour enfermer les cigarettes dans le même genre d'emballage? J'arrête de fumer promis*.

Vous me direz: «À la place, pourquoi ne pas te procurer une banane? Elle est beaucoup plus simple à ouvrir!» Et vous auriez raison. La banane est une merveille naturelle dotée

* Autre truc pour fumeurs: en mettant une photo de Denis Coderre sur mon paquet de cigarettes, j'ai diminué ma consommation de moitié.

d'une ouverture à la portée de tous. Même le dernier singe peut s'ouvrir une banane et mordre dedans. Son emballage en forme de sourire permet d'en protéger la chair. Sa pelure la protège des intempéries et rien ne semble pouvoir l'émouvoir.

De plus, selon un tableau des aliments guérisseurs qui a cours en ce moment sur le Net, la banane protège le cœur. Selon ce même tableau, la patate, elle, remonte l'humeur. La patate et la banane formeraient donc un excellent mélange pour le cœur et l'esprit si on osait les réunir. Mais voilà : pour y voir quelque chose dans la noirceur ambiante lorsque mon breaker saute, la banane n'est d'aucune utilité.

Quand j'ai retrouvé mon calme, la lampe de poche ne fonctionnait plus. Brisée dans la bataille. Alors, j'ai eu envie de vous faire 900 mots sur les emballages de plastique impénétrables, sur le fait que notre panier d'épicerie contient deux fois plus de contenants que de contenu, sur la consommation, la pollution…

Quand j'ai la switch marabout au vif, tout ce qui m'énerve y passe : le tissu de taies d'oreiller neuves qui fait du bruit, les livres lourds, mon sourcil du milieu, les essuie-glaces qui tracent, les turbulences en avion, Normand Lester en général, les livres échappés dans le bain, un reflet de fenêtre dans l'écran de mon téléviseur, les repas de fondue, Réjean Houle en Afghanistan pour remonter le moral des troupes, accorder les participes passés avec être et avoir tout en parlant, Normand Lester en particulier, les petits pains emballés dans le plastique au restaurant... Pourquoi ils emballent du pain dans un plastique hermétique ? Pour qu'il dure un mois ?

Excusez, mon téléphone sonne.

– Avard, c'est Prevate.

Vous le connaissez : Sylvain Prevate est l'éditeur adjoint du *ICI*. Son job, c'est de me faire écrire ce qu'il aimerait lire.

– Avard, j'aimerais ça que tu « slaques » la colère pour l'été. En été, il fait chaud. Le monde n'a pas envie de s'indigner.

– Il fait chaud à l'année au Darfour et, pourtant, il suffit de s'y intéresser pour s'indigner.

– Non mais le Darfour, c'est complètement out. Depuis que Google Earth nous permet de voir les villages qui brûlent sous les attaques, on a pas mal fait le tour... Je voudrais pas t'imposer de sujet, mais Céline Dion a sorti un album.

– Et ?

– Et t'en as toujours pas parlé.

– On peut se parler franchement, Sylvain ?

Là, je dois admettre que Prevate a mis un certain temps à répondre. Comme s'il devinait que j'écrirais tout ce que j'allais lui dire.

– Dis toujours... ?

– Moi, Céline, son album, elle peut se le fourrer où je pense. Des paroles écrites par des mémés pour un public de mémés, j'en ai rien à foutre. Des musiques mièvreuses composées par des faiseux de muzak, du smog d'oreille, c'est de l'initiation au coma. On écoute ça et on doit prendre son pouls pour se convaincre qu'on est toujours vivant. Je ferai pas partie des licheux qui tentent de faire croire que ça vaut quelque chose parce qu'ils craignent que le vieux gambler les mette sur sa black list. C'est pas de ma faute si Céline Dion est une grand-mère de 75 ans dans sa peau de 39. À Las Vegas, Elvis est devenu obèse au propre, Céline au figuré. Céline Dion, c'est de la bouillasse de paillettes pour hospice, sa musique, du glutamate monosodique. Les anorexiques en écoutent pour se faire maigrir. Sa maman a engraissé le Québec avec ses pâtés : Céline est en train de le faire vomir avec ses CD.

– Visiblement, tu ne sembles guère apprécier le dernier opus de Céline... Mais admets tout de même qu'elle a une belle voix !

– J'm'en sacre, Sylvain. J'ai une grosse graine : si elle sert à rien, qu'ossa donne ?

– Je trouve ton exemple plutôt vulgaire et j'espère qu'on ne le lira pas dans ta chronique.

– Ce qui est vulgaire, c'est de nous imposer Céline Dion mur à mur. C'est de tenter de nous faire croire que ses chansons sont plus profondes parce que des vieilles plumes se sont assuré un fonds de pension en chiant une toune entre deux pointes de tarte aux œufs. Si je dois être le dernier à parler de Céline, alors je serai celui-là.

– Mais avoue que Céline est proche du peuple ! Lors du spécial télé, on l'a vu imiter les *Têtes à claques* dans sa limousine !

Le reste de la discussion est assez confus : mon breaker a sauté et j'ai essayé de m'éclairer avec une banane. Qu'est-ce qu'ils attendent pour emballer les CD de Céline dans les emballages de lampe de poche ? J'arrête de fulminer promis.

# Lire entre mes lignes

**(21 juin 2007)**

Vendredi dernier. Belle fin de journée. Je suis sur le bord de l'eau brune de ma Yamaska, j'écoute les poissons agoniser tout en lisant ma chronique dans *ICI*. Je me relis parfois, histoire de m'assurer que l'éditeur adjoint n'a pas sévi encore une fois dans mon texte, comme cette fameuse fois où il avait amputé une chronique d'un long paragraphe d'insanités à propos de l'émission *Le Banquier*.

Soudain, je remarque un gonflement dans mon pantalon. Je m'étonne. Je suis en train de lire ce passage qui parlait d'une banane (Cf. chronique précédente) et l'érection gagne une ampleur étonnante. Je me savais détraqué, mais jamais au point de bander en lisant un paragraphe qui parle d'une banane !?! Par quelle sorcellerie une banane, sans grosses boules, parviendrait-elle à me faire cet effet ???

BANANE HABILLÉE    BANANE TOUTE NUE

Mon pouls s'accélère, mon souffle raccourcit, ma dine rallonge. « Qu'est-ce qui m'arrive, tabarouette ? » (Je ne sacre qu'en public, personnage oblige.) Je pense alors à cette bombe aphrodisiaque dont les journaux ont parlé.

L'armée américaine, dans les années 90, a eu le vague projet de développer une bombe qui, lancée sur les troupes ennemies, dégagerait un aphrodisiaque qui les ferait lâcher leurs armes pour s'enculer. Ma rivière contient tant de produits chimiques, est-ce qu'on aurait abouti involontairement, par un hasard que seule la science encensera, à créer des gaz aphrodisiaques dans la Yamaska ? ? ?

Je lâche mon *ICI*, m'accroupis près de la rivière. Non : elle pue la merde habituelle, c'est tout. Qui plus est, l'érection diminue. Je reprends ma lecture et la banane me refait bander. Je deviens fou ! ? ! Je poursuis ma lecture jusqu'au passage où je parle du dernier album de Céline. Normalement, ça devrait me refroidir les sens. Eh bien, non : les deux litres et demi de sang restent bien figés dans mon sexe*. Céline Dion me fait bander. Par quelle sorcellerie une chanteuse sans grosses boules parviendrait-elle à me faire cet effet ? ? ?

Je repense à cette lectrice qui m'avait interpellé : « Toi, Avard, on dirait que tu parles tout

* Ces données sont approximatives.

le temps de sexe ! Même quand t'en parles pas ! » Je me relis : aucune allusion, même inconsciente. C'est plein d'amour pour ce fruit magique qu'est la banane ; plein d'une saine colère contre un mauvais CD. Me revient alors en tête cet adage : « Si tu regardes et que tu ne vois pas, cherche ailleurs et tu trouveras. » Si la solution à cette énigmatique érection voulait se cacher de moi, où irait-elle ? Réponse : derrière moi.

Eurêka. Assis sur ma terrasse, le soleil au ras de l'horizon devenait aveuglant. Je tenais la page de ma chronique entre le soleil et mes yeux. Et si on lit ma chronique lorsqu'on trouve une source de lumière derrière, qu'est-ce qui s'insinue dans notre inconscient ? L'envers de toutes les annonces de putes de mon verso !

Car voyez-vous, depuis le début de ma carrière de chroniqueur au *ICI*, j'étends mon savoir, mes humeurs et mes lettres chaque semaine sur des putes ! Quelle crédibilité j'ai ? Pourquoi essayer de changer le monde si je succède à une pleine page de « Mélanie 21 ans 36D se déplace », de photos de grosses boules ou de « show lesbiennes & fétishes [sic] » ?

J'ai fait une chronique sur le génocide rwandais, sur la planète en perdition, encore la semaine dernière j'évoquais le malheureux Darfour, j'ai parlé de ma mère… au verso de putes ! ! ! C'est complètement absurde ! Une de ces annonces propose de m'humilier du lundi au vendredi!?! Une autre propose le traitement VIP et le service GFE. C'est quoi, « GFE » ? Grosses fesses écartées ? Grande femme enceinte ? Gluante fente embourbée ? Certaines précisent même qu'elles sont « fonctionnelles » !?! Qu'ossé ça veut dire ??? J'ai appelé un (une ?) Latino prénommé(e ?) Alexis :

– Qu'est-ce que vous entendez par « fonctionnelle » ?

– Yé fais tout cé qué tou veux.

– Pourriez-vous trouver une chute à ma chronique ?

– ?

– Je ne comprends pas bien ce que vous entendez par « fonctionnelle » dans votre annonce.

– Si tou veux, yé té souce.

– Attendez, « fonctionnelle » ça veut pas dire « soucer ». À ce compte-là, ma cafetière soucerait.

– Ça vout dire qué yé peux té encouler.

J'ai dès lors compris le principe : les escortes transsexuelles sentent le besoin de préciser que leur dine durcit. J'ai raccroché avant de rappeler aussitôt ailleurs. Cette fois, le téléphone sonnait chez mon éditeur adjoint :

– Prevate, c'est Avard. C'est quoi, toutes ces putes que j'ai derrière moi ? En arrière de moi, c'est une pleine page d'annonces de putes ! Ceux qui me lisent entre les lignes n'ont droit qu'à des allusions sexuelles ! Nelly a un verso qui parle de théâtre, Vézina a un verso qui montre le palmarès des livres. Moi, j'ai des putes qui se déplacent. Qu'est-ce que je devrais comprendre ?

– Ouais. Mais tu fais réfléchir ceux qui lisent entre les lignes des petites annonces de putes. Ça compense. Et c'est un beau geste.

– Sylvain, je suis scandalisé.

– Habitue-toi au scandale : l'argent que les putes donnent au journal, c'est l'argent qu'on te donne en salaire.

– Ah ? Euh… Oui ? Ah, bon. Dans ce cas, ça serait pas plus simple d'éviter les intermédiaires ?

Je repense à cette lectrice qui m'avait interpellé: «Toi, Avard, on dirait que tu parles tout le temps de sexe! Même quand t'en parles pas!» Je me relis: aucune allusion, même inconsciente. C'est plein d'amour pour ce fruit magique qu'est la banane, plein d'une saine colère contre un mauvais cd. Me revient alors en tête cette grande phrase: «Si tu regardes et que tu ne vois pas, cherche ailleurs et tu trouveras.» Si la solution à cette énigmatique érection voulait se cacher de moi, où irait-elle? Réponse: derrière moi.

«Si tu regardes et que tu ne vois pas, cherche ailleurs et tu trouveras.»

Eurêka. Assis sur ma terrasse, le soleil au ras de l'horizon devenait aveuglant. Je tenais la page de ma chronique entre le soleil et mes yeux. Et si on lit ma chronique en mettant une lumière derrière, qu'est-ce qui s'insinue dans notre inconscient? L'envers de toutes les annonces de putes de mon verso! Tenez, faites l'essai. Je vous laisse même des lignes vides pour que l'effet soit encore plus évident:

Vous voyez? J'étends mon savoir, mes humeurs et mes lettres chaque semaine sur des putes! Quelle crédibilité j'ai? Pourquoi essayer de changer le monde si je succède à une pleine page de «Mélanie 21 ans 36D se déplace», de photos de grosses boules ou de «show lesbiennes & fétishes [sic]»? J'ai fait une chronique sur le génocide rwandais, plusieurs sur la planète en perdition, encore la semaine dernière j'évoquais le malheureux Darfour, j'ai parlé de ma mère... au verso de putes!!

# Michel ange

**(28 juin 2007)**

Un peu plus et je vous faisais 800 mots sur la participation canadienne en Afghanistan.

À commencer par un reportage de RDI sur un jeune militaire québécois de 17 ans qui, dès qu'il soufflera ses 18 chandelles, dans quelques jours, se jettera dans la fosse aux chameaux. Le reportage nous présentait le petit proute s'entraînant au tir avec ses camarades de mission. Bizarre : à 17 ans, on n'a pas le droit de s'acheter des cigarettes, on ne peut pas aller prendre une bière avec les boys, on ne peut pas aller aux danseuses, mais on peut tirer avec des fusils d'assaut C7A1, « le meilleur ami du soldat », comme le précise le site Internet de la Défense nationale du Canada. À 17 ans, on n'a pas la maturité pour voter, mais on peut décider de partir en guerre.

Par chance, statistiquement, notre petit jeune homme risque moins de mourir en Afghanistan que les civils afghans eux-mêmes. L'OTAN révélait que 260 civils afghans seraient morts par erreur à cause d'attaques mal ciblées. Un représentant de l'OTAN déclarait que, malheureusement, ces civils afghans se trouvaient au mauvais endroit au mauvais moment, supposition discutable puisque ces pauvres bougres se trouvaient chez eux comme d'habitude. Le Canada, lui, n'a perdu que 60 hommes par erreur, l'erreur de les envoyer là-bas.

J'étais sur une bonne lancée, déjà 221 mots, quand une bombe sauta par erreur dans ma vie. Soudain, comme le coup de téléphone de l'ami qui me l'a annoncé :

« Salut François, c'est Mario. Michel est mort hier. On l'a retrouvé pendu. »

Père de deux jeunes enfants. Il se suicide le jour de la fête des Pères. Mon âge. Mon profil. Le même vide devant, lui a décidé d'arrêter tout ça. Chaque demain est insondable. Et selon son vécu, sur le moment, on se sent la force ou non de continuer d'avancer dans ce brouillard. Lui a décidé d'arrêter tout ça. Ouf.

Qu'est-ce qui se passe dans la tête d'un homme qui perd le goût de continuer à marcher vers l'inconnu ? Comment réussir à mesurer le degré de fatigue de la vie pour éviter ce dernier geste, pour soigner ce mal ?

Comme la fatigue physique fait ressortir notre impatience, notre irritation, nos petits défauts, la fatigue de la vie fait ressortir toutes les blessures accumulées, jamais vraiment guéries. En sombrant, le bonheur des autres nous semble insupportable. On a alors le tort de croire – et les médias y contribuent – que le bonheur des autres est constant, leur lubricité enivrante, leur extase quotidienne. Mais ces « autres » ne sont pas différents de nous : ils auront choisi de présenter leur plus beau profil. Individuellement, je ne les crois pas tant toujours heureux.

Mais le côté sombre des choses, cet ombrage morbide, ne laisse guère de place à la lucidité lorsqu'il prend possession de notre regard sur la vie, lorsqu'il teint tout de cette détestance de l'existence. On devient très mauvais en calcul. La somme de nos malheurs passés, de nos peines d'hier, semble plus grande que celle de nos bonheurs. On ose donc des prévisions erronées sur la suite à venir.

On se couche chaque soir en dressant l'inventaire de ce que l'on pourrait regretter si l'on choisissait de mourir. On ne trouve rien. Pas le moindre indice de fun devant. Que des souvenirs derrière. On s'endort en espérant ne plus se réveiller. Rien devant. Tout est derrière. L'histoire est terminée et il n'y aura pas de suite. C'est fini. Seul le corps l'ignore.

Alors, on se gèle la bine, histoire de perdre complètement le sens des limites et on donne congé au corps avec une arme ou une corde. Ou devant un train. Je ne veux pas juger cet ami, seulement le remercier pour cet électrochoc qu'il provoque dans ma propre vie. Égoïstement, je m'empare du sens de son geste et j'en fais un immense coup de tonnerre pour secouer ma vie endormie, qui ronfle dans son quotidien.

Tout cela élimine de multiples brouillards et me fait réviser mes calculs. Surtout, il me permet d'estimer que ce brouillard dressé devant moi peut réserver de belles surprises, de belles rencontres, d'importantes naissances. En définitive, on est mieux de ce côté-ci de la mort. Moi, pour le moment, je trouve une réponse dans les mots de la poétesse de l'essentiel, France Cayouette :

*L'aube*
*Le soleil prend les choses*
*Une à une*

Comme le soleil, qui résiste et qui dure, je vais prendre les choses une à une et tenter d'être sensible aux magies ordinaires, de rester fébrile devant le miracle naturel de chaque nouveau jour qui se lève.

Petit bonheur simple :
un oiseau sur un fil.
J'adore les oiseaux dessinés
par Beauchemin...

# Un poisson bien spécial

**(12 juillet 2007)**

Juillet. J'ai besoin de vacances. Sauf que dans un journal, on ne peut pas partir comme ça, sans prévenir. Il me fallait avertir l'éditeur adjoint Sylvain Prevate. Ça ne lui plaisait guère :

– M'en sacre de tes vacances, Avard. J'ai besoin d'une chronique.

– Relis le contrat, Sylvain. J'ai droit à des vacances. (Là, je bluffais.)

– C'est moi qui l'ai écrit, le contrat. T'en as pas de vacances, Avard. Si tu pars, prépare tes chroniques d'avance. On peut pas laisser un vide. Les commanditaires commanditent pas du vide.

– Ça, c'est discutable, Sylvain. Relis certaines de mes chroniques passées pis tu vas voir que…

Il avait déjà raccroché. Alors, je me suis creusé les méninges et je suis passé à ça (environ deux centimètres entre mon pouce et mon index) de titrer ma chronique « Le dernier tabou ». Malheureusement, j'ai déjà fait usage de ce titre pour mon 20e papier qui traitait de poésie.

Eh bien, la poésie peut se rhabiller : elle n'est pas le véritable dernier tabou, comme je l'ai appris ces derniers jours. La semaine dernière, lors d'une discussion entre amis maskoutains (humains dont l'habitat est Saint-Hyacinthe), j'ai commis l'impair de rappeler l'existence de la barbotte-qui-suce.

Quelle ne fut pas ma surprise de constater la masse de réactions que l'évocation de ce poisson a provoquées, plusieurs virulentes ! Vous me connaissez, je n'allais pas me priver d'un bon sujet, surtout face au sursaut de souvenirs qu'il provoque. Et puis moi, l'enfance et ses joies simples m'émeuvent. Tous les hommes qui ont grandi près d'une rivière connaissent la barbotte-qui-suce et sa réminiscence fait battre notre cœur de p'tits gars.

À Saint-Hyacinthe coule la Yamaska. Doucement en été, avec ravage au printemps. Pour réguler son cours, on érigea un barrage appelé « la dam », ce qui – premier scandale ! – est un anglicisme. C'est l'habitat privilégié de la barbotte-qui-suce ou, en latin, ameiurus nebulosus, puisque le remous y brasse sa nourriture. Au pied de la dam, la belle se trouve alors comme devant un buffet chinois sur le party.

Quand j'étais p'tit gars, prépubère, vers 11 ou 12 ans, ça se jasait dans la cour d'école : « À la dam, on attrape des barbottes qui sucent ! »

– Et qu'est-ce qu'elles font, les barbottes qui sucent ? demandaient les plus ingénus.

– Elles sucent, tata ! clamaient les plus expérimentés, du haut de leur savoir d'initiés.

Un jour, un meneur regroupe ses amis puis ils partent pour la grande expédition. Moi, je faisais partie d'un quatuor de choc : quatre p'tits gars en rut. Je vous parle de cet âge où les garçons ont les hormones dans le tapis sans trop réaliser ce qui leur arrive, la pilosité éparse, le timbre de voix fragile et, surtout, une audace complètement inconsciente qui pousse à trouver tout un tas d'endroits incongrus où mettre son pénis.

Assis sur les bords de la rivière, avec notre canne à pêche, nos appâts et notre lunch, on exerce sa patience. Il s'agit, en quelque sorte, des préliminaires. Un ami un peu goujat à qui je racontais ces souvenirs me signalait que « c'est mieux que de saouler une truite pis d'attendre jusqu'à 3 heures du matin qu'elle accepte de te suivre à l'hôtel », ce qui s'avère d'un goût discutable.

On trépigne. On fixe sa canne, on espionne celle du copain d'à côté. On espère. Oh, n'allez pas croire que les poissons meublent nos fantasmes : on jase de filles, mais à cet âge innocent elles n'accomplissent rien d'intéressant avec ce qui grouille entre nos jambes.

Parfois, on s'excite pour rien : de-ci, un crapet-soleil remue au bout de la ligne ; de-là, une perchaude a mordu à l'hameçon. On les remet à l'eau. Patience…

Cette fois, c'est la bonne ! Une barbotte-qui-suce s'agite au bout du fil ! Le pêcheur chanceux exulte, car il aura bien sûr droit à la première pipe. Pendant ce temps, les trois gamins bredouilles tirent au sort l'ordre qui suivra. Parce qu'à sa quatrième fellation, on comprendra que la barbotte est épuisée. Parfois, le dernier du quatuor doit même se finir dans son sandwich au jambon.

Ah, la bouche d'une barbotte ! Les branchies, en s'agitant, remuent des muscles dans le fond de la gorge qui produisent une espèce de mouvement de va-et-vient. Dès lors, en suffoquant, la barbotte-qui-suce provoque une succion inoubliable, rendant ses pêcheurs des idéalistes de la pipe. La barbotte-qui-suce a la peau dépourvue d'écailles. Lisse et visqueuse, elle constitue une excellente école pour la suite de notre vie sexuelle. Toutefois, il est difficile de la maintenir en place. De plus, quand on la sort de l'eau, sa nageoire dorsale se raidit et constitue une menace puisqu'elle est surmontée d'une épine traîtresse. C'est pourquoi on doit tenir la coquine avec un gant.

Avec le recul, pour sain qu'il nous apparaissait à l'époque, ce divertissement n'en causait pas moins un sérieux préjudice à l'espèce. Disons-le franchement, c'était de la torture. Car la barbotte n'y prenait aucun plaisir ou, à tout le moins, n'en manifestait pas le moindre. Une fois le nôtre consommé, pour que le poisson relâche la pression, il suffisait de lui chatouiller les barbillons avec un ver de terre, ces fameuses moustaches qui s'avèrent le nez de ce poisson. Quand le quatuor avait bien profité des performances de la pauvre bête, on l'achevait à coups de talon ou de batte de baseball, ce qui n'était peut-être pas un adieu des plus gentlemen.

J'ignore qui le premier eut l'idée de mettre son sexe dans la bouche d'une barbotte, mais cet homme avait du flair. D'ailleurs, pour les nostalgiques, plusieurs sites Internet spécialisés (!) proposent des photos qui rappellent ces précieux moments juvéniles. Aujourd'hui, l'unique prostituée de Saint-Hyacinthe (qu'on peut apercevoir en train de frayer autour du Marché Centre) est surnommée « La Barbotte ». Peut-être parce qu'elle a des moustaches, peut-être parce qu'on la croirait achevée à coups de talon.

Un jour, l'adolescence s'installe pour un moment dans la vie et l'on réalise que les filles ont de plus jolis yeux que les barbottes, qu'elles ont des seins et, surtout, un parfum qui s'éloigne du sushi défraîchi. La barbotte-qui-suce devient un souvenir tabou.

Bien sûr, tout cela n'est pas vrai. Avec les changements climatiques, on ne reconnaît plus les mois ni les saisons. Je me suis dit : « Tiens, pourquoi pas un poisson d'avril en juillet?» J'espère seulement que vous m'aurez lu jusqu'à la fin…

BARBOTTE NUE

BARBOTTE PAS NUE

# J'ai un rêve

**(19 juillet 2007)**

La semaine dernière, je racontais un faux souvenir d'enfance où l'héroïne de ma chronique était une barbotte-qui-suce. Ceux qui s'en trouvèrent traumatisés, rassurez-vous: la résilience est un mécanisme très puissant du cerveau. Corneille est parvenu à oublier le génocide rwandais et moi, je commence à oublier que j'ai été scripteur sur le talk-show *Ad lib* quand j'étais petit.

Il n'empêche, j'ai fauté en signalant seulement à la toute fin de cette histoire qu'il s'agissait d'un canular. Cela m'a permis de remarquer que vous ne me lisez pas toujours jusqu'à la fin, mes tannants. Pour preuve, ce type inquiétant qui m'accoste à Saint-Hyacinthe: «Je ne pensais pas que quelqu'un oserait raconter ça ouvertement. Même entre chums d'enfance, quand on se revoit, c'est le genre de souvenir qui est encore très tabou.»

L'été, le jugement est au repos. Moi, être Premier ministre, j'enverrais du monde à la guerre en été. Il m'avait semblé qu'une chronique concernant une barbotte-qui-suce serait dans l'esprit «festif» obligatoire pour la saison. Évidemment, mon téléphone a sonné.

C'était Sylvain Prevate, éditeur adjoint pugnace qui résiste à être appelé rédacteur en chef du *ICI*. (Moi, si j'étais lui, je préférerais « rédacteur en chef », parce qu'il y a le mot « chef ». Lui préfère « éditeur adjoint » parce qu'il y a le mot « adjoint » et parce que ça lui permet de faire croire à sa femme qu'il est l'adjoint de PKP.)

– Avard, avec ton affaire de poisson qui suce, j'espère que tu réalises que tu as perdu toute crédibilité.

– Quelle crédibilité ?

– Crédibilité pour dire des choses intelligentes. Quand ça t'arrive. Comme dans une de tes chroniques de l'an passé. Je crois. À moins que je me mélange avec une chronique de Vézina.

Mais qu'est-ce que la crédibilité ? Harper disait : « Il faut avoir porté l'uniforme de l'armée canadienne pour critiquer la conduite du ministère de la Défense. » Moi, je n'ai jamais porté un costume de clown McDonald's. Pourtant, je suis capable de juger que j'y mange de la merde.

Mon métier, c'est d'écrire des nounouneries. C'est lorsque je suis sérieux que je n'ai aucune crédibilité. J'écris tout un tas de conneries et j'en enlève un bon paquet en me relisant. (Malheureusement, quand je parle, ces corrections sont impossibles.) Pourtant, il reste assez d'inepties dans mes chroniques pour m'épargner d'être « crédible ». Pourquoi voudrais-je être crédible ?

Les médias – crédibles ? – nous ont assommés toute la semaine avec cette histoire de canards qu'on tue pour les manger. Or, il m'a semblé n'entendre personne signaler qu'il s'avérerait beaucoup plus cruel de manger le foie de ces canards s'ils étaient encore vivants dans notre assiette. Mais quelle crédibilité ai-je pour lancer cette affirmation ? Du foie gras, je n'en mange pas. Je préfère le boycotter par principe. Mais à 239,92 dollars le kilo, quelle crédibilité a mon boycott ?

Même mon dictionnaire des noms propres, mettant sur un même pied Martin Luther King et Hitler, perd toute crédibilité.

Mais alors ! ? ! Si je n'ai plus de crédibilité, je peux au moins rêver !

ET J'AI UN RÊVE !

J'ai le rêve qu'un jour, tous les canards de Saint-Louis-de-Gonzague seront vivants jusqu'à leur mort. Des scientifiques israéliens ont réussi à fondre le goût du basilic et de la rose dans une tomate transgénique. (À quand le juif hassidique transgénique qui osera se mélanger aux autres humains ?) Si on peut faire des tomates qui goûtent la rose, pourquoi pas du bœuf haché au goût de foie gras de canard ?

Plus notre bouffe sera heureuse avant de mourir pour être mangée, plus nos repas seront cruels. J'ai donc le rêve qu'on déprime nos veaux et cochons. Qu'on traîne nos bœufs au Festival de jazz ; qu'on mette nos poulets dans les embouteillages tous les matins. Attendons que nos animaux se suicident pour les manger.

J'ai un rêve aujourd'hui. Le rêve qu'on ne doive plus tuer les animaux pour les manger. Plus simple : mangeons-nous entre nous, êtres humains. Commençons par Lucie Laurier.

J'ai le rêve qu'un jour les animaux soient nos égaux. Qu'on offre le choix aux poules d'avorter ou non. Que seul le gras de cochon obtenu par liposuccion soit transformé en bacon. Et ce jour venu, on exigera que les chiens s'attachent en voiture, que les homards mettent un casque en vélo. Et certains exigeront que les vaches portent le voile. On mangera du fromage mammaire fait de lait maternisé cru*.

Mieux : incluons la nature en entier dans ce rêve. Exigeons le respect des arbres, des fruits et des légumes. Qu'il se lève celui qui pourra me garantir que la patate ne souffre pas lorsque plongée dans l'huile ! Qu'il prenne la parole celui qui pourra me garantir que les bananes ne se sentent pas violées lorsqu'on les pèle ! Qu'on me jure que les érables sont volontaires pour être entaillés et les moutons, tondus !

Je rêve d'un monde d'égalité. Le sapin perdra ses privilèges royaux et la forêt se transformera en véritable démocratie. Le rutabaga

* Quel mauvais gag ! Plus mauvais gag jamais fait dans ma vie !... Euh, plutôt : un de mes dix plus mauv... Euh, non : un gag parmi tant d'autres dans ma production à la chaîne. Découpez-le et retournez-le à Michel Brûlé avec votre preuve d'achat, en exigeant un remboursement ou un échange pour un meilleur gag.

demandera à changer de nom. Les navets réaliseront des films. À la télé, les truies participeront à *Ma porcherie Rona.* Claire Lamarche recevra tous les légumes qui goûtent le cul et qui confesseront leur souffrance de mal-aimés. Astral lancera la chaîne spécialisée Canal Citron. Les concombres pourront refuser d'être utilisés à des fins lubriques. Les kiwis pourront s'épiler, les oranges soigneront leur cellulite. Les oignons écriront des chansons pour Céline.

Vincent Lacroix pourra apporter une carotte aux putes chez Paré et ajouter ces frais dans ses dépenses de compagnie. Michael Moore tournera un documentaire où il mettra à jour les souffrances du céleri noyé dans le Cheez Whiz. Julius Gray se portera à la défense d'un collectif de laitues qui s'en prendra à toutes les essoreuses à salade pour brutalité. Et ce sera bien fait pour leur sale gueule d'essoreuses à salade !

J'ai un rêve que les légumes de mon potager, les fruits de mes arbres habiteront un jour une planète où ils seront jugés non pas pour la saveur de leur chair, mais pour le contenu de leur caractère.

Foie de canard trop frais...

# Bonjour à toi, lecteur d'un pays riche

**(27 juillet 2007)**

(Je suis un fripon. Cette semaine, je vais brosser un tableau de mon pays, mais je ne le nommerai pas. Ceux qui me connaissent reconnaîtront à coup sûr l'identité du pays. Par contre, ceux qui me liront du bout du monde, grâce à Internet, pourront croire que ma pathétique description mériterait qu'on m'envoie quelques sous…)

Bonjour à toi, lecteur d'un pays riche,

Je m'appelle François et j'habite un pays où les conditions de vie se dégradent. L'espérance de vie est élevée, certes, mais l'espoir de naître faiblit. De plus, entre 18 et 35 ans, on risque le suicide. Mais passé cet âge critique, on peut espérer vivre jusqu'à 82 ans si on compte un aidant naturel parmi sa progéniture.

Si tu viens au pays, on t'exigera bientôt l'inoculation de vaccins. Tu cours un risque en buvant de l'eau privatisée (vaccin contre la bactérie E.coli bientôt disponible), en visitant un hôpital (vaccin contre la bactérie C difficile ou la méningite) ou en écoutant la radio (vaccin contre la rage).

Notre climat est de plus en plus tempéré : il y a de moins en moins d'hiver et de moins en moins d'été. Si tu nous visites, n'oublie pas de t'apporter une tuque d'été et des gougounes d'hiver.

Nous vivons dans un régime dit « démocratique ». Nous avons le droit de vote comme d'autres ont un nombril : on l'a, mais ça ne sert à rien. Nous avons le droit de nous plaindre. Même que, dans mon pays, si tu ne te plains pas du gouvernement, tu deviens suspect. Car les seuls à trouver leur compte dans ce régime sont ceux qui en tirent de vrais profits. Et ils ne s'en plaignent pas. Même, ce sont eux qui disent le plus de bien de ce pays.

Vu de l'extérieur, je crois qu'on a l'air d'un pays plutôt riche. Mais ici, la richesse ne se retrouve qu'entre quelques mains. Je te souhaite de les serrer, sinon tu peux crever. Les autorités gouvernementales dépossèdent la population de ses richesses naturelles au profit de ces quelques mains. On privatise des montagnes, des forêts, des cours d'eau, le vent. Bientôt, on privatisera l'air que l'on respire. Si tu nous visites, apporte ton air.

Nous avons une télévision et une radio d'État. Son rôle est de diffuser des infopubs du chef du gouvernement qui visite notre armée à l'étranger. Les journaux aussi jouent le jeu.

Notre armée, tu la connais certainement : elle est drôle, c'est celle qui parle des 5 000 talibans cachés dans la caillasse de Kandahar en les comparant aux millions de nazis. Nous avons un ministre des Affaires étrangères qui déclarait le 15 juillet que les gens de mon pays « doivent savoir que nos militaires construisent de nouvelles infrastructures, font de la formation professionnelle, de l'éducation, des campagnes de vaccination et donnent un but aux Afghans. » Nous sommes très contents pour les Afghans et nous espérons que nos troupes reviendront vivantes parce qu'ici aussi du boulot s'impose au niveau des infrastructures, de la formation professionnelle et de la vaccination.

Bizarre tout de même : on annonce la réouverture d'un collège militaire, la composition d'une nouvelle escadre aérienne, l'achat de vaisseaux militaires, d'équipements, etc. Pourtant, aucune de ces annonces n'implique les métiers de la construction, de l'éducation ou de la vaccination. Toutefois, ces dépenses militaires sont secondaires, car la priorité dans mon pays, c'est la possession d'un bar-b-cue. De manger sur le bar-b-cue. De regarder *Décore ton bar-b-cue*. De lire *Les 101 recettes de bar-b-cue de vos vedettes préférées*. Si tu veux te faire remarquer quand tu viendras dans mon pays, pas besoin de te mettre un melon d'eau dans le cul : juste à ne pas exposer de bar-b-cue sur ta galerie.

Lorsque je vois les fermiers afghans choisir de cultiver l'opium pour mieux gagner leur vie, je les comprends : mon oncle à la campagne cesse aussi de cultiver des céréales pour cultiver le « pot ». Sa petite ferme familiale ne lui permettait plus de vivre. Aussi, certains agriculteurs décident de cesser de cultiver des fruits et légumes variés afin de produire du maïs pour faire de l'éthanol. Grâce à l'éthanol comme carburant, on pollue moins quand on se rend à l'épicerie acheter des fruits et des légumes variés qui proviennent désormais d'autres pays par avion ou par bateau.

À l'école, on commence à manquer de professeurs. Pas si grave, puisque les garçons fréquentent de moins en moins longtemps l'école. Par ailleurs, puisqu'aucun suivi réel ne s'exerce sur les pédophiles dont on laisse la bizoune en liberté, il ne serait certainement pas étonnant d'en retrouver dans les écoles primaires. Car, en plus du reste, mon pays n'a plus les moyens de sa justice. En fait, mon pays n'a plus les moyens de grand-chose à part se militariser. En ce moment, notre circuit routier est dans un piteux état. On attend que les trous s'élargissent au point de devenir des voies carrossables. Si tu viens, fais la visite en montgolfière : c'est plus prudent.

Voici la définition du *Petit Robert* sur la situation de mon pays : « Évolution économique caractérisée par un appauvrissement et une absence de croissance qui affecte un pays qui ne fait pas partie du tiers-monde. » Tu trouveras cette définition si tu cherches le mot « tiers-mondisation ».

Chez nous, c'est « chacun pour soi ». Le bonheur, c'est « penser d'abord à soi ». Et ce soi-là, c'est moi. S'il te plaît, envoie-moi tes dons à moi au journal *ICI*.

## On a failli avoir du fun

**(16 août 2007)**

Chaque matin, quant il arive au bureau, l'éditeur-adjoint Sylvain Prevate va à la cuisinnette du journal, verse son restan de café de la veille dans un contenan et se prépare un nouveau pot. Quant il a accummullé assez de restants de cafés pour en renplir une cafetière, on reçoie alors une convoquation : « Réunion de rédaxion. Apporté vos chaises. Y aura du café gratis. »

Il est entré dans la salle et nous étiont déjà presque tous là. Autours de la table de conférence, on comtait donc Nelly, Thibeault, Vézina, Marie-Louise, le gars du cinéma qui a des lunnettes, celle de la musique que je connais pas et moi. J'étais assi en face de Nelly et Vézina. J'optai pour regarder Nelly. Elle me fait rêver. Dans sa chronique de la semaine dernière, elle a utiliser le mot « masturber » et j'en suis encore toute retourné. Vézina, lui, il m'effraye un peu avec son air littérraire. Prevate est entrer dans la sale de réunion les sourcis froncés, pour ne pas dire anxieux. La réunion a pu commencé aussitot que la corectrice est enfin arrivée. (Il étai tan !)

Prevate a pris la parole : « Au dernier trimestre, Quebecor World a perdu 21 millions. C'est quatre fois pire qu'à la même période l'an dernier. » Dès lors, un froid tomba sur la salle. Tout le monde se sentait coupable, chacun se disant : « 21 millions ??? Est-ce que mes chroniques sont si tant de la marde que ça ? » Prevate a senti le malaise général, chacun regardant ailleurs, moi choisissant d'envoyer mes yeux dans le décolleté de Nelly et Pierre Thibeault ne relevant pas les siens d'une réédition agrémentée d'enluminures du *Phénomène Humain* de Teilhard de Chardin qu'il dévorait.

Prevate a jugé bon de nous rassurer : « Selon le président de l'Empire, les chiffres au niveau des publications nord-américaines, du côté de Quebecor média, se sont améliorés. » Aussitôt, rassérénés, chacun se disait intérieurement : « Ça, c'est à cause de ma chronique à moi… »

Prevate continua : « Néanmoins, il faut aider l'Empire. Accomplir cette admirable tâche, on peut le faire en améliorant encore davantage la performance du *ICI*. Est-ce que quelqu'un aurait une proposition ? » Silence parfait. On n'entendait plus que les cymbales qui émergeaient des écouteurs du iPod de la fille qui fait la chronique musique. Subrepticement, je profite que tout le monde pense à autre chose pour oser un peu de frotti-frotta de jambes avec Nelly. Elle ne bronche pas ; ne me renvoie aucun signal. Soudain, Prevate m'interpelle : « Avard ?

T'aurais pas une idée ? Pour une fois ? » Et pour une fois, j'en avais une :

– Collègues, collègue-e-s, si, j'ai une idée : un super concours chapeauté par le *ICI* !

– Un concours de quoi ?

– George W. Bush sera de passage à Montebello la semaine prochaine. On met Bush à la une, on titre « Bush, mort ou vif » pis on offre une récompense ! C'est rigolo comme concours, non ?

Devant le peu de réaction, Marie-Louise décidant plutôt de tapoter un SMS sur son cell, je constatai ne pas les avoir gagnés à mon idée de baladin. Pire : Prevate n'aimait pas. Mais au lieu de me le dire franchement, il suivit les enseignements de son stage « devenir un meilleur éditeur adjoint » et me le confirma d'une façon détournée :

– On n'a pas de budget pour une récompense.

– Bah, ai-je rétorqué, pas besoin de beaucoup d'argent. Moi, j'ai 18,52 $, ça suffirait peut-être à motiver les gens pour abattre Bush. Pis on pourrait proposer un combo : en plus de la prime de 18,52 $, on offrirait les services d'une des professionnelles du sexe inscrite au verso de ma chronique. Je suis sûr que c'est le genre de convergence qui séduirait l'Empire.

Mes arguments – le mot « convergence » surtout – ont fait réfléchir Prevate. Cependant, il réfléchissait à une autre façon de rejeter ma proposition :

– Pas sûr qu'on ait le droit de proposer un assassinat en page couverture. Faudrait consulter la section juridique de l'Empire.

– Bah, re-rétorquai-je, Bush ne s'enfarge pas dans les droits humains !

Prevate espérait qu'un collègue vienne à sa rescousse et propose autre chose. Et pendant qu'il faisait tout cela, il mimait de réfléchir à la question pour aboutir à cette réponse :

– Pas sûr que le *ICI* devrait prendre position dans ce débat. Ça pourrait mettre l'Empire dans l'embarras.

– Mais voyons ! ? ! Dans ce « débat », il n'y a pas d'autre position que l'opposition ! Il y aura des manifestants anti-cette-rencontre, mais craignez rien : il n'y aura absolument personne qui manifestera en faveur de ce qui va se décider là ! Personne n'est pour, à part les vrais intére$ $é$ !

(Je ne me rappelle plus comment j'ai réussi à dire « intéressés » en faisant comprendre les signes de dollar. J'ai dû être viandement subtile.)

Devant le manque d'argument pour plaider sa cause, Prevate a sombré dans la facilité :

– On est dans un régime démocratique. C'est du monde élu démocratiquement.

– Certes, admis-je pour le faire sentir intelligent, mais Louise Arbour elle-même, – pas Bob Gratton ! – déclarait plus tôt cette année qu'il faut déplorer le niveau de secret inégalé dans ce que nos gouvernements démocratiques font en notre nom. Je pense que ça s'applique tout autant à Montebello qu'à notre implication en Afghanistan.

– Ouan, mais personne connaît Louise Arbour, déclara Prevate franchement contrarié. Est-ce que quelqu'un sait ce que Céline en pense?

Silence total. Ou bien les collègues ignoraient l'opinion de Céline concernant le sommet de Montebello ou bien Céline n'avait pas d'opinion. Je n'oserais pas trancher la question.

Le gars du cinéma avec les lunettes prit le silence, le rompit et déclara aux disciples:

– De toute façon, la une est supposée être réservée à Mr. Bean qui vient de lancer un film.

Oh! Là, les collègues se sont exprimés: de-ci « lui y me fait rire », de-là « il était tellement loufoque la tête dans le cul d'une dinde », etc. Même Pierre Thibeault releva un œil de sa lecture pour marquer un certain intérêt. Moi, je profitai du tohu-bohu pour frotti-frotter Nelly avec encore plus d'audace et, surtout, éviter le regard menaçant de Vézina qui me dévisageait, comme s'il avait deviné mon mal à bien gérer les conjugaisons quand je raconte une histoire au passé.

Malgré mon pied parti à l'aventure sous la table, je repris le crachoir:

– Vous savez, quelqu'un a dit, le monde est une scène et chacun doit jouer un rôle*. Bush, Harper et l'autre du Mexique se réunissent en cachette pour décider de notre sort. Montebello a été transformée en forteresse. Je crois qu'il faut marquer le coup. Harper visite Cité Soleil à ciel ouvert, alors qu'ici il reçoit deux présidents derrière des barricades de dix pieds de haut, défendues par la police, l'armée pis la GRC ! Ça devrait nous sonner des cloches, non ?

Un lourd silence permit alors d'entendre que la ventilation était éteinte. Même Nelly ne bronchait pas devant mes avances pédestres. J'avais le corps presque complètement étendu sous la table quand je perdis toute crédibilité au moment où Vézina brisa le silence :

– Coudon' Avard ! As-tu fini de me tripoter les couilles avec ton pied qui pue ?

* C'est Elvis qui a dit ça, chapitre *Are you lonesome tonight*, verset introduction.

# Celsius 233*

**(30 août 2007)**

Je suis tombé par hasard sur un vieux film intitulé *Banzaï*, mettant en vedette Coluche. Une comédie (!) de Claude Zidi réalisée en 1983. Un scandale !

Dans ce film, le comique Coluche traite d'abord un Arabe (qui travaille évidemment dans une épicerie) de voleur. À une femme qui pose son sac près de l'Arabe affairé à son étal, Coluche déclare : « Non ! Pas au pied de l'Arabe : c'est voleur, l'Arabe. » L'Arabe rétorque : « On vole et on viole. Planquez vos petites filles ! » Apercevant ensuite un gamin qui observe la scène, l'Arabe déclare : « Qu'est-ce qu'il est mignon, ce petit garçon ! » Coluche lui dit : « Au lieu de t'exciter, tu ferais mieux de m'aider… » Puis Coluche lui demande : « Comment vous faites pour être aussi cons ? Vous le faites exprès ? » Notez que Coluche ne vouvoie pas l'Arabe par bienséance : il utilise le « vous » pour englober tous les Arabes qui seraient tous des cons.

Je frissonnais d'horreur, mais pis encore, quelques instants plus tard, Coluche repasse

* Traduction française de *Fahrenheit 451*.

près de l'épicerie. L'Arabe l'interpelle: «Au fait, tu te maries quand?» Coluche: «Le 25.» L'Arabe: «Alors, tu vas inviter ton Arabe?» Coluche: «Si tu te laves.» L'Arabe: «Bah, d'ici là, je vais apprendre.»

N'en jetez plus, la cour est pleine. Hors de question que j'endurasse ce racisme plus longtemps. (Remarquez, je ne m'étonne plus: dans les comédies françaises, le racisme est récurrent. Combien de comédies traitant de la Deuxième Guerre mondiale dépeignent les soldats allemands comme les derniers des imbéciles?) Je ne comprends pas que la Ligue arabe et Al-Qaïda ne soient pas intervenus et qu'on trouve ce film pourri encore en vente en 2007 dans les grandes surfaces. Qui plus est, j'ai payé cette cassette VHS 2,99 $, preuve de la promotion du racisme, au mépris de tout profit.

J'ai retiré la cassette de mon magnétoscope. Je suis allé dans mon garage où j'ai décadenassé mon escabeau. Pour grimper jusqu'à la tablette que j'ai installée, inaccessible aux enfants. S'y trouve déjà un CD de Sardou qui, dans la chanson *Les Villes de solitude*, chante: «J'ai envie de violer des femmes // De les forcer à m'admirer // Envie de boire toutes leurs larmes.» Rien de moins.

Sur cette tablette gît aussi mon vieux microsillon des Excentriques, un groupe yé-yé de Saint-Jérôme qui, en 1965, fit la promotion de la cigarette dans leur chanson *Fume, fume fume*, une traduction trop libre du sain *Fun, fun, fun* des Beach Boys. On y affirme que peu importent nos soucis, il suffit de fumer une cigarette et tout ira mieux. Pire, on y promeut l'anorexie : « Si tu dois sauter un repas // Fais un tour en ville // En marchand fume fume fume // Fais de la fumée sur tout ça. »

Imaginons qu'un enfant tombe sur ce microsillon. Quel genre d'idées pourraient lui passer par la tête ? Et parlant d'idées à mettre dans la tête des jeunes, sur ma tablette interdite se trouve également la série *Sol & Gobelet*, dont l'épisode où les deux clowns pathétiques, malpropres et glauques incitent au suicide.

Sur ma tablette, je cache aussi toute une panoplie de livres et de films de science-fiction. Supposons un seul instant que des extraterrestres atterrissent. Prenant contact avec notre littérature, notre cinéma, n'auraient-ils pas raison de s'offusquer ? J'en ai marre de ces artistes galactistes qui s'imaginent tous les extraterrestres animés par de mauvaises intentions en plus d'être laids comme quelque chose de laid (je n'ose pas de comparaison, afin de ne pas heurter la moindre susceptibilité).

Enfin, sur ma tablette, il y a un coffre cadenassé à l'intérieur duquel se trouve un plus petit coffre blindé et soudé. Et dans ce coffre, il y a *Tintin au Congo*. *Tintin au Congo*, certainement l'œuvre la plus nocive pour les esprits faibles et influençables. Car n'eût été de *Tintin au Congo*, ouvrage raciste présentant l'Européen colonisateur comme un sauveur, jamais Nicolas Sarkozy n'aurait déclaré comme il l'a fait à Dakar que :

« … La colonisation n'est pas responsable de toutes les difficultés actuelles de l'Afrique. Elle n'est pas responsable des guerres sanglantes que se font les Africains entre eux. Elle n'est pas responsable des génocides. Elle n'est pas responsable des dictateurs. Elle n'est pas responsable des gaspillages et de la pollution. Mais la colonisation fut une grande faute qui fut payée par l'amertume de ceux qui avaient cru tout donner et qui ne comprenaient pas pourquoi on leur en voulait autant. »

Nicolas Sarkozy, voilà un homme bon dont la conscience fut certainement polluée par Hergé, un nazi colonialiste sexiste (certainement gai refoulé). Nicolas, j'ose te le suggérer par le biais de cette chronique : « Interdis *Tintin au Congo*, et ces déclarations malheureuses te seront pardonnées. » Parce que je n'ai plus de place sur ma tablette pour y mettre un coffre qui contiendrait un coffre qui contiendrait Sarkozy.

J'ai hâte que les pompiers, au lieu de combattre les incendies, éteignent les véritables maux de notre monde. Je rêve du jour où l'on commencera à brûler tous ces pseudo-objets d'art puants qui salopent nos esprits et souillent notre bonté naturelle. C'est bien connu : l'Homme est intrinsèquement bon et, sans ces artistes inconscients et ineptes qui interprètent le monde qui les entoure sans réfléchir aux conséquences, l'Homme le demeurerait ! À moins que je ne me trompe…*

* … ou que j'ironisais depuis le début de ce billet.

## Perspective

**(06 septembre 2007)**

La semaine dernière, je suis allé chercher un ami à l'aéroport. Après un mois d'absence, il me demande :

– Quoi de neuf ici ? De quoi le monde parle ?

– Ici ? Euh, le monde parle de TVA qui programme ses émissions les plus populaires en même temps que *Tout le monde en parle*. Le monde saura pas quoi regarder le dimanche à la télé et ça les enquiquine.

– Eh bien, me dit cet ami, si c'est ça qui retient l'attention, c'est que tout va vraiment bien ici !

J'ai aimé le point de vue de cet ami qui revenait de loin et, surtout, qui revenait d'un pays où ça ne va pas bien du tout. Cynique, il nous aurait trouvés caves de nous enflammer à propos de nos soirées télévisées dominicales. Optimiste, il y trouvait plutôt une raison de se réjouir. On peut décider de voir le monde tel qu'on nous le présente ou on peut choisir de se tasser un peu et de le regarder d'un autre angle. Essayez, la vue en vaut la peine.

* * *

Parfois, on pourrait croire qu'ailleurs, tout est mieux. En France, la région de la Loire est habitée depuis 2500 ans. On y pêche de la rive, on en mange le poisson. Saint-Hyacinthe est fondée depuis 250 ans et on ne peut plus toucher à l'eau de la Yamaska sans craindre que son doigt s'y désagrège. Tout est-il vraiment mieux ailleurs? Vu d'ici, on pourrait croire que oui.

Pourtant, vu de la Loire où j'étais en vacances il y a deux ans, le Canada semblait jouir d'une tranquillité fort enviable. À un point tel qu'on n'en parlait pas. D'un hôtel à l'autre, j'allumais le téléviseur. Chaque fois, même dans la vieille Orléans, je tombais sur un autre épisode de l'inondation de la Nouvelle-Orléans. Du Canada, pas un mot. Visiblement, pour les Français, pour CNN ou pour BBC World, il ne se passait rien chez nous. Aux yeux de ces médias, le Canada devait être fermé ou endormi.

D'où mon titre: perspective. Car pendant ces deux semaines passées en France d'où le Canada semblait dormir, ici nos télés, journaux et radios n'ont pas désempli. Un bulletin de nouvelles durera toujours 30 minutes. Au pire, on inventera des nouvelles.

Cet été, grâce à l'Afghanistan, aucun besoin de s'inventer un virus du Nil (bien commode pour faire écran devant la C Difficile) qui tue quelques personnes âgées hospitalisées…

Quoi ? Je laisserais entendre que le virus du Nil n'aurait été qu'un joli prétexte exotique pour dissimuler des cas de C Difficile ? Et alors ! Je ne suis pas journaliste : je peux écrire ce que je veux.

* * *

Vu par la perspective du Zimbabwe aux prises avec une sécheresse, quand on regarde les inondations de la Louisiane, on se dit que ces Américains ont eu bien de la chance. Mieux encore : philosophiquement, vu de très très loin, si on établit une moyenne entre les problèmes de notre monde, on parvient à atteindre un certain équilibre et à considérer que, tout compte fait, entre les sécheresses africaines et les inondations de la Louisiane, il y a juste assez d'eau sur la Terre. Alors, vue de la Lune, notre planète se porte très bien. Reculez. Vous verrez : tout ira mieux.

Car le malheur est une question de perspective. Sur la couverture du magazine *Le journal de l'assurance*, vol. 15 nº 9, figure l'image satellite d'une tornade. Le titre : « Changements climatiques : un scénario catastrophe se pointe ». Un malheur ? Hum, tout est une question de perspective. À l'intérieur du magazine, un article porte ce titre : « Changements climatiques : une occasion d'affaires pour l'industrie de l'assurance». Cool: il y a au moins des gens que le désastre réjouit!

En gros, on affirme: la carbonisation de la planète, en guise de sinistre, voilà une magnifique vitrine publicitaire que les assureurs ne devraient pas bouder! Un spécialiste déclare: «Nous n'avons pas encore compris toutes les possibilités des nouveaux produits qui pourraient être lancés.» Devant la hausse du niveau de la mer appréhendée par le réchauffement climatique, avez-vous songé à vous construire une maison flottante? Imaginez les économies au moment de payer vos assurances!

Les assureurs auront du mal à prétexter que les inondations liées aux changements climatiques sont des «Acts of God»: on nous répète *ad nauseam* que nous en sommes responsables. Mais ne craignez rien: on a déjà commencé à vous facturer la possibilité de ces inondations. S'il y a une chance sur un million que l'Arctique fonde jusqu'au toit de votre triplex, en ce moment on vous facture un millionième du coût. Dans un an, si on estime cette probabilité à une chance sur 500 000, vous payerez 1/500 000e du coût. Etc. Pour l'assuré, ça serait le fun que l'Arctique reste gelé. Pour l'assureur, plus la fonte sera lente, plus le profit sera grand. Perspective.

* * *

Nos Forces armées installeront un nouveau centre d'entraînement à Resolute Bay, près du pôle Nord, où les militaires seront soumis aux techniques de combat par grand froid afin d'assurer notre souveraineté dans le Grand-Nord. Or, si notre souveraineté est menacée, c'est parce que l'Arctique fond. Parce qu'il fait chaud. Alors, il n'est plus nécessaire d'investir dans les techniques de combat par temps très froid. Qui plus est, en rejetant le traité de Kyoto, le gouvernement Harper contribue à l'inutilité de cet entraînement. Mais ça, c'est ma perspective. Je suis sûr qu'il y a un angle d'où cette situation peut réjouir.

On va se battre pour instaurer la démocratie en Afghanistan. On ira participer aux Olympiques en Chine. Perspective aussi, j'imagine.

(Intermède)

# Où étions-nous le 13 septembre 2006?

En 2007, la question était posée lors de la commémoration de l'attaque au Collège Dawson.

À l'invitation d'Amnistie international, le 13 septembre 2006, je prenais la parole dans le cadre de leur campagne pour un Contrôle du commerce des armes. Tous conviés, les médias brillaient par leur absence, à l'exception d'une radio communautaire. Quelques minutes après, à quelques stations de métros de là, un fou entrait dans Dawson pour tirer sur le monde. Tous les médias en profitèrent, même l'hélicoptère de Pierre Karl. Signe que la prévention, médiatiquement parlant, c'est moins attrayant que les gros bobos bien juteux.

Si certains parmi vous ont envie de prendre Kimveer Gill comme modèle pour espérer faire un jour parler de vous, je vous en supplie, il n'est pas nécessaire d'aller jusque-là. Désormais, il y a tant de médias à remplir, ne vous en faites pas : vous aussi passerez à la télé. Canal D a proposé une biographie de Mario Lirette : votre tour viendra, j'en suis sûr.

# Le choix du ICI

**(13 septembre 2007)**

Cynique, j'ai toujours eu des doutes sur la véritable valeur des choix proposés par les magazines, tel « Le choix du *ICI* », ou la pertinence des recommandations prodiguées par les magasins, tels les coups de cœur Renaud-Bray.

Récemment, j'entre dans un magasin Archambault. Sur le CD d'un artiste que je n'aime pas du tout, j'aperçois la mention « Le choix du *ICI* ». Ma première réflexion : « Sont ben caves au *ICI* !?! » Toutefois, la réflexion suivante : « Coquin de sort, le *ICI*, c'est moi aussi !!! »

J'ai aussitôt téléphoné à Sylvain Prevate, éditeur adjoint du *ICI* :

– Sylvain, il y a la mention « Le choix du *ICI* » sur le CD d'un artiste dépourvu de talent, aussi excitant qu'une omelette au lait, qu'il m'apparaît impossible d'apprécier. Le *ICI*, c'est moi aussi et ça me heurte d'être associé à ce choix-là.

– Avard, on avait mis ça clair : tu ne parles plus de musique. Depuis que tu as écrit que le dernier album de Céline était de la bouillasse, je suis persona non gratta à Las Vegas.

– Primo, Sylvain, arrête de rappeler cette chronique malheureuse à chaque fois qu'on se parle. Ça ne m'aide pas non plus. Deuxio, tu remarqueras que je n'ai pas nommé l'artiste dont il est présentement question. Tertio, ça me fait chier de ne pas être consulté pour les choix du *ICI*.

– Les choix du *ICI* musicaux sont faits par la section musicale. Les choix de livres par la section littéraire, etc. (Il n'a pas vraiment dit « etc. », mais il a fait l'énumération de toutes les sortes de choix du *ICI* et ça me bouffait des mots dans ma chronique.) Il s'agit du choix le plus judicieux du chroniqueur après avoir étudié les parutions de la semaine dans sa section, me précise-t-il en choisissant ses mots. Trouve-toi une section, établis une grille d'analyse, fais le choix que tu veux, pis sacre-moi patience.

Là-dessus, il a raccroché, signifiant ainsi qu'il n'avait rien à ajouter. Ce faisant, il me laissait aussi le champ libre pour avoir le dernier mot. J'aime avoir le dernier mot. Moi aussi je vais proposer « Le choix du *ICI* ». Mais le choix de quoi ? Si la section cinéma propose son choix de film, moi, j'appartiens à quelle section ? À quoi suis-je associé ? Et la réponse est nette : le divertissement. Toutes les sortes de divertissement.

Ma mère collectionne toutes mes chroniques. Si on ouvre l'album à l'envers, on se heurte au verso de mes chroniques et on croirait qu'elle collectionne les pages d'annonces de putes. Remarquez, ces putes ont peut-être aussi des mères qui suivent leur carrière ? « Oh ! Bravo ma grande ! J'ai vu que tu as ajouté la sodomie à ta gamme de services ! »

Alors, j'ai eu cette idée un peu saugrenue : proposer le choix du *ICI* parmi les professionnelles du sexe qui me font verso. (C'est fou les bêtises qu'un homme peut inventer pour mettre son pénis quelque part...) J'ai élaboré une grille d'analyse fort simple :

• écart entre l'annonce publiée et le produit véritablement offert ;

• qualité de la fellation ;

• enthousiasme lors de la pénétration ;

• ouverture aux fantaisies les plus diverses.

Puis, je me suis lancé à l'aventure, prêt à faire le Choix le plus judicieux et à décréter au bénéfice du lectorat de notre hebdo que « Miss Unetelle » était le choix du *ICI* pour quiconque souhaite un moment fort dans sa semaine. Inutile de vous préciser que j'ai connu pire mission dans ma carrière de chroniqueur.

Vendredi dernier, j'appelle Prevate pour lui annoncer mon « choix du *ICI* ». Surtout, je demande que le journal me rembourse les 2280 dollars que m'avait coûtés ma sélection parmi toutes les filles qui annoncent dans mon dos. J'ai laissé le message sur son répondeur. Il a tardé à me rappeler. Peut-être était-il parti vérifier si j'avais fait le bon choix ?

Il daigna enfin me rappeler pour me préciser qu'il n'avait pas pris mon message au sérieux et, surtout, qu'il était hors de question que Quebecor Média rembourse mon pèlerinage parmi les filles de joie.

– Oui, mais Pierre Karl connaît-il vraiment les produits annoncés dans sa publication ? Pour une fois, une enquête sérieuse a été menée et je peux proposer le meilleur Choix !... Allô ?... Sylvain ?

Alors, cette semaine, à la section 914 des petites annonces, catégorie « enquiquineur », je fais de Sylvain Prevate mon choix du *ICI**.

* Pour cette chronique, j'envisageais réellement qu'une escorte annonçant dans le *ICI* bénéficie du traitement « Le Choix du *ICI* ». À la production du journal, on m'assurait qu'il n'y avait aucun problème pour encadrer l'annonce de l'escorte choisie par le sceau de qualité « Choix du *ICI* ». Alors, je suis réellement allé rencontrer une prostituée pour faire une entrevue avec elle. La dame se livra volontiers, moyennant que je lui paye la valeur d'une passe (80 dollars) et un Bloody ceasar. Pendant l'entrevue, elle me confia qu'elle craignait que le gag du « Choix du *ICI* » n'entraîne une surabondance d'appels téléphoniques morons. Je l'ai rassurée du mieux que j'ai pu. Toutefois, au cours des 24 heures qui ont suivi cette entrevue, c'est elle qui m'appela au moins 18 fois pour me demander de ne pas dire qu'elle crossait des pénis à 6 ans dans la ruelle, de taire le fait qu'elle n'avait ni l'âge ni les mensurations mentionnées dans l'annonce, que ci, que ça. Elle voulait lire le papier avant que je l'envoie à Prevate. Même Pierre Karl n'est pas si exigeant...

# Démission

**(20 septembre 2007)**

J'allais pondre une 53^e^ chronique de 800 mots bien tassés concernant la commission Bouchard-Taylor et l'affligeante démonstration de débilité profonde qui secoue le Québec au moment où je suis tombé sur la chronique de Marc Cassivi intitulée « La dictature de l'abruti ».

Une fois n'est pas coutume : je partage l'opinion de Cassivi. On entend les pires inepties : du bouseux de Saint-Glinglin qui a peur que ses poules pondent des œufs kasher à la vieille folle qui veut revenir au Québec des années 40 « de que quand nos religieuses nous enseignaient du bon français » jusqu'à Joe Blo de Saint-Fifrelin qui craint que des éoliennes viennent voler des jobs dans sa région, « si les éoliennes sont pas contentes, qu'y retournent dans leu pays ! » On assiste au crépuscule d'une grande noirceur.

J'ignore ce qui m'a le plus bouleversé : assister au recul de mon pays ou partager l'opinion de Cassivi. Je me suis dit : « Mon vieux (je m'appelle « mon vieux » dans l'intimité de ma tête), si tu es rendu à exprimer les mêmes idées que Cassivi, ça ne va pas. Arrête tout ça. »

Alors, je démissionne. Sylvain, je te quitte. J'en ai marre.

J'en ai marre des chroniques d'humeur, marre de faire le zouf en fond de journal, d'essayer de raisonner drôlement, d'essayer de faire rire intelligemment. J'en ai marre des chroniqueurs qui se prononcent sur tout et sur rien. La liberté d'expression, c'est aussi le droit de fermer sa gueule : je n'ai pas envie d'ajouter ma voix à cette opérette débile. Marre des opinions partout, à toute heure du jour, à toutes les sauces. Marre de ces vides solutions pondues sur un coin de table dans un café d'Outremont. Marre des opinions bien torchées, marre des opinions connes.

Marre de commencer à me croire moi-même.

J'en ai marre des pollueurs. J'en ai marre du prêchi-prêcha écolo : on a compris. Marre d'une ministre de l'Environnement qui, elle, n'a pas compris et se questionne sur l'avenir des sacs de plastique des épiceries : « Est-ce qu'on les taxe ? Est-ce qu'on les plie en quatre ? Est-ce qu'on les met en boule en dessous de l'évier ? » Et te les mettre dans le cul, y as-tu pensé ? J'en ai marre des hôtels chics qui me proposent une bouteille d'eau des îles Fidji, des restos branchés qui m'offrent de la San Pellegrino transalpine, du Wal-Mart qui se dit « écologique » mais qui est incapable de m'offrir de l'eau embouteillée québécoise.

J'en ai marre des intérêts privés qui mettent le feu à l'Afrique et de mon argent public qui essaye de contenir les incendies. Marre de travailler comme un singe pour l'impôt. Marre d'envoyer de l'argent à des gouvernements qui me prennent pour un cave. Marre de Harper qui tente de me faire avaler que le sommet de Montebello ne traitait que de la mesure du taux de sucre dans les jelly beans. Si c'était vraiment ça, pas besoin de s'enfermer en cachette derrière des murs de 15 pieds, ostie de trouillard ! J'en ai marre, comme tout le monde, des politiciens qui ne contrôlent plus rien parce que tout se joue à un autre étage, à un niveau où l'on ne compte absolument plus. Marre de n'avoir du contrôle que sur mes sacs de plastique d'épicerie.

Marre d'Ottawa qui tente de me convaincre qu'on est en Afghanistan pour le bien du monde. Marre des journalistes de la SRC qui font de l'infopub pour l'armée canadienne avec leurs habits de camouflage trop voyants dans mon écran de télé. Marre d'entendre des généraux à la retraite se dire « pacifistes » tout en empochant leur chèque du ministère de la Défense. Marre des militaires qui me parlent de 5 000 ou 6 000 talibans cachés dans la caillasse du Moyen-Orient, comme s'il s'agissait des millions de nazis qui ont envahi l'Europe. J'en ai marre de me faire dire n'importe quoi par n'importe qui. Marre d'hésiter à chaque fois que j'épelle le mot « Afghanistan » : on pouvait pas envahir le Togo ?

J'en ai marre d'entrer dans un Couche-Tard et de tomber face à face avec le marchandising des *Têtes à claques.* Avoir trouvé la gammick pour vendre un tas de cochonneries faites en Chine ne correspond pas à ma définition de la réussite. Marre de me faire varloper les oreilles avec le succès du Cirque du Soleil. Moi, les clowns poétiques, ça me fait pas bander. De toute façon, si ça faisait bander aussi Laliberté, ce sont ses contorsionnistes qu'il inviterait à ses partys, pas des putes de luxe.

J'en ai marre des diffuseurs qui nous prennent pour des imbéciles avec leurs émissions lamentables. Marre de la fausse gentillesse, des flatteurs, des producteurs de télé qui n'ont jamais les sous pour payer les créateurs, mais qui ont toujours les piasses pour se torcher le cul avec de la soie brodée d'or dans leur résidence tertiaire des Cantons de l'Est. Marre de voir des artistes se prêter à toutes ces insignifiances de « variétés » pour promouvoir ce qui les fait véritablement vibrer. Marre de voir la télé se regarder le nombril : si au moins elle se regardait le cul ! Marre de Lise Payette qui déclare que « la télévision, c'est le seul sujet de conversation intéressant en ce moment ». Tu vis sur quelle planète, Lise ?

Marre des imbéciles qui ne changent pas les piles de leurs détecteurs de fumée. Marre de fumer. Marre du chacun pour soi. Marre du « penser d'abord à soi ». Marre du « nous » de Marois. Votre « nous », gardez-le pour vous. Je retourne écouter le vent dans les arbres.

# Démission, prise 2

**(27 septembre 2007)**

La semaine dernière, je démissionnais. Malheureusement, Prevate, éditeur adjoint du *ICI*, n'a pas réagi. Peut-être n'a-t-il simplement pas lu ma chronique ?

Il n'en demeure pas moins que je dois m'arrêter. 172 raisons motivent cet arrêt de travail. Plusieurs ont été évoquées la semaine dernière, mais celle qui confirme ma décision, c'est « astie que j'ai mal dans le dos ».

Le plus souvent, j'écris ma chronique hebdomadaire assis devant mon ordinateur, les mains posées sur le clavier. Qui plus est, depuis 20 ans, j'écris assis en indien. Incapable de me défaire de cette habitude, j'ai donc développé d'importants maux de dos et de cou. En fait, ça me fait surtout mal là où passerait une ganse de guitare si j'étais un rocker et l'élancement s'insinue jusque dans le fond de ma tête comme si je jouais du rock devant 18 amplis Marshall au maximum. J'avale 122 tylénols par jour, ça me scrape l'estomac, j'ai des nausées, je ne mange plus, je m'affaiblis et, conséquemment, j'ai mal dans le dos.

Je voulais me trouver une masseuse qui suce, mais finalement je me contenterais bien d'une suceuse qui masse.

Un ami m'a suggéré le *Dragon Naturally Speaking*, un logiciel qui retranscrit la voix. Ainsi, on peut écrire couché, debout ou dans son bain. Toutefois, ce logiciel n'est pas encore au point. Voici ce que ça donne: « Le plou souvant, g cri macaroni keb dromadaire à si de vent mon nord dînatoire... » Avouez que c'est agaçant à lire.

La solution? Cesser d'écrire durant quelques années, afin de soigner mon cou. Cependant, quand vient le temps de démissionner, je deviens poltron. J'ai peur de ne plus être aimé. Alors, comme un lâche, au lieu de l'appeler, j'ai écrit à Sylvain Prevate. J'ai entrepris un échange de courriels par le biais du *Dragon Naturally Speaking*. Mauvaise idée! Notre correspondance a donné ceci:

« Sale u Cil vin. Je dé mi sonne. »

–??? C'est quoi, ces niaiseries-là, Avard? C'est les insolences d'un courriel?

– Je dé mi si honte. Je qui? te le i si. Ja raie te macro nique.

– Avard, je pense qu'il y a un problème: tu m'envoies des courriels et je ne comprends rien à ce que tu écris. J'attends toujours ta chronique! Grouille!

– Je demi sonne.

– C'est quoi ça, « je demi sonne » ? Il y a un bug. Je t'appelle.

Malheureusement, Prevate m'a effectivement téléphoné, mais je m'étais préparé. Puisque je me sais vaniteux, je savais que le fin renard Prevate n'aurait qu'à me flatter un peu pour que je lâche mon fromage et que j'oublie ma démission. Alors, je me suis inspiré du personnage François Avard dans le roman *Pour de vrai* (en vente partout) et je me suis inventé une grosse menterie pour tenir le coup devant sa flatterie :

– Qu'est-ce que tu racontes dans tes courriels, Avard ? Je comprends rien !

– Je démissionne, Sylvain. J'arrête la chronique.

– Excuse, il y a aussi un problème avec le téléphone : je viens de t'entendre me dire que tu démissionnais. Mais t'es pas un cave, tu peux pas avoir dit quelque chose comme ça.

– Tu as parfaitement entendu, Sylvain : j'arrête.

– Si c'est de l'argent que tu veux, l'Empire en manque. Pas question de t'augmenter.

– L'argent n'est pas en cause : il n'y en a pas. J'arrête, tout simplement.

Un temps. Il encaissait.

– Voyons ! ? ! Tu peux pas faire ça ! Qu'est-ce que je vais devenir, moi ?

– Quelqu'un d'autre prendra ma place dans ton cœur et dans ton fond de journal.

– Tu écris tellement bien ! Tout le monde me le dit : « Avard, c'est vraiment hot ce qu'il écrit ! »

– C'est vrai ? Qui te dit ça ?

– Des gens. Du monde que je croise dans la rue. En plus, avec toi, j'ai aucun souci : ta chronique est là chaque lundi matin. T'es un pro ! Pis les pros, ça lâche pas ! Pourquoi tu lâches ? T'es pas un pro ? T'es un scribouilleur amateur ? Une lavette ? Une chochotte ?

– Euh… Je serai le prochain auteur nègre qui signera un Réjean Ducharme™. Un type m'a proposé une immense valise pleine de fric pour que je garde le secret, mais je te le confie à toi, parce que j'ai confiance en toi.

– Tu as tellement de talent, c'est le choix que j'aurais fait aussi, si j'étais l'éditeur propriétaire de la marque de commerce Réjean Ducharme™. Mais ça ne t'empêche pas d'écrire 800 mots par semaine pour le *ICI* !

– J'ai mal dans le dos, Sylvain. Je ne peux plus m'asseoir devant mon ordi sans deux tonnes de glace dans le cou.

– Et pourtant tu vas écrire le prochain Réjean Ducharme™ ? demande-t-il, la voix soudainement pleine de suspicion.

J'ai perdu l'habitude de mentir. Il me coinçait. J'étais sans mot.

– Come on, François ! dit-il, la voix gorgée d'émotion. Tu peux pas lâcher ! Tu frôles le génie ! Chaque semaine, te lire est mon seul moment de bonheur !

J'allais changer d'idée. Heureusement, j'avais mon briquet à portée de la main: je me suis brûlé l'avant-bras pour lancer un autre signal à mon cerveau et le distraire de cette basse flatterie.

– Non, Sylvain. Je quitte. C'est fini.

– Bon, dit-il d'une froideur qui me glaça l'oreille à m'en donner une otite. Si c'est comme ça, relis ton contrat: j'ai droit à deux semaines de préavis. Donc, tu me dois deux chroniques. Deux semaines, c'est vingt fois le temps qu'il me faudra pour trouver mieux que toi.

Et il a raccroché, terminant ainsi la première de ces deux chroniques contractuelles.

# Extra bonus*!

**(04 octobre 2007)**

Les mentions « bonus » et « extra » sont des hameçons redoutables en consommation. Alors, je vous invite à consommer prudemment cette dernière chronique signée François Avard.

Eh oui, c'est fini. Qui sait, désormais Quebecor fera peut-être fabriquer cette chronique en Chine ? Alors, à la manière des suppléments de films sur DVD, pour collectionneurs seulement, voici des bonus en extra à cette carrière de chroniqueur !

**MAKING-OF D'UNE CHRONIQUE**

(Voici comment se fabrique une chronique. Pour servir la démonstration, rappelons-nous cette fameuse chronique de juillet où je racontais un souvenir de jeunesse, quand j'allais pêcher des barbottes-qui-sucent dans la Yamaska et, ainsi, connaître mes premiers émois sexuels.)

Lundi

8 h 30 : J'écris ma chronique.

9 h 00 : L'éditeur adjoint du *ICI*, Sylvain Prevate, reçoit mon texte. Il soupire son

* Adepte du recyclage, vous remarquerez que je n'hésite pas à réutiliser le procédé du « bonus de chronique » précédemment utilisé dans ma carrière de chroniqueur…

irritation préméditée et choisit d'aller se faire un café avant de commencer à le lire.

9 h 30 : La chronique est lue : Prevate panique. Sans perdre une seconde, il somme le bureau du contentieux de l'Empire de se mettre sur le pied de guerre. Dans un même élan, Prevate fait parvenir ma chronique à l'Empereur.

9 h 35 : PKP a le nez dans sa *Presse*, tranquille dans les Cantons de l'Est. Il interrompt sa lecture, le temps de jeter un œil désintéressé à ma chronique. L'Empereur me trouve con, puis retourne à l'édito d'André Pratte qu'il trouve beaucoup plus marrant.

10 h 00 : Suivant les conseils du vice-empereur Luc Lavoie, Prevate a déjà mis sur pied et financé un groupe de pression, le CDCQALPB (Collectif de ceux qui aiment les pipes bestiales). Ce collectif sera prêt à répondre si la CDPEDM (Coalition de défense des poissons d'eau douce à moustaches) fait une sortie publique contre le contenu de ma chronique.

11 h 30 : Pour dîner, l'Empereur flippe des boulettes à hamburger sur son barbecue et des végé-burgers pour Julie, mais il repense néanmoins à ma chronique, intrigué.

12 h 35 : Prevate ne prend même pas le temps d'avaler un fruit, malgré tout le bien que cela lui ferait au teint. Il met en scène une dramatisation juridique. On simule une crise

médiatique liée à ma chronique afin de parer à toute éventualité. Marie-Louise Arsenault joue le rôle du gentil. Michel Vézina joue le méchant. Puisque Nelly refuse de jouer la barbotte, principale préjudiciée dans cette affaire, Prevate fera de son mieux.

13 h 30 : L'Empereur part à la pêche*.

14 h 00 : Sans nouvelle de l'Empereur, Prevate prie la comptabilité de l'Empire d'envoyer un chèque à toutes les associations de défense des animaux pour leur fermer la yeule. Quebecor sera blindé contre la dernière connerie d'Avard. On appelle l'imprimerie : on peut lancer les presses. Vous lirez ma chronique jeudi !

**CHRONIQUE JAMAIS FINIE**

Si j'avais tenu le coup jusqu'à la fin de l'année, j'aurais entrepris de recenser un florilège de citations marrantes entendues à la radio pour clore 2007 en beauté. Voici celles que j'avais notées jusqu'ici :

• Christiane Charette à Françoise Hardy : « Je trouve que vous parlez intelligemment d'astrologie. »

• Dans une émission sur l'Expo 67, René Homier-Roy, se racontant : « Le LSD m'a fait économiser une psychanalyse. À cause du LSD, j'ai réglé ben des affaires avec ma mère, mon

* Prevate avait censuré ce passage…

père… » nous donnant à comprendre bien des choses.

• Christiane Charette, parlant des musiques en anglais utilisées dans la série télé *Les Invincibles* : « C'est subversif ! » donnant ainsi sa définition personnelle de la subversion.

• Annie Brocoli, expliquant sa nouvelle émission de télé, *Grosse journée*, lors d'une émission de radio de la rentrée : « C'est une émission pour les papas à la maison dont les enfants sont partis à l'école. »

• Une lectrice de nouvelles inconnue du groupe Chorus : « … précisant que Fidel Castro se repose présentement entre la vie et la mort ».

**EN GUISE DE DERNIERS MOTS**

Je m'excuse auprès de mes proches et amis qui, à cause de certaines opinions émises, se sont retrouvés coupables par association, parce qu'ils me connaissent et respectent ma liberté d'expression. Merci sans fin à Sylvain Prevate qui accepta sans broncher que je le traîne dans la boue. Ça y est, Sylvain : tu peux aller te laver.

Merci pour vos très nombreux courriels de désarroi à la suite de l'annonce de mon retrait, que j'interprète plutôt comme des remerciements pour ces 55 semaines passées ensemble.

avard

**Billet inédit, rédigé pour le magazine**
***L'ITINÉRAIRE***
**Printemps 2007**

*La rédaction du magazine* L'Itinéraire *me commanda un billet concernant la langue de bois pour un de ses numéros. Je m'exécutai, mais on décida de ne pas publier le texte. Ironiquement, comme me le communiqua la rédactrice en chef, on s'attendait à un texte « plus percutant ». Plus percutant ? ? ? Diable ! L'avait-on lu ?*

*Je n'ai pas proposé de nouvelle version qui aurait inclus les mots « plote sale », « truie » ou « tabarnac ». J'ai plutôt commencé à songer qu'il me vaudrait mieux prendre une pause d'écriture…*

# Je parle le bois

L'écologie est à la mode. Me voilà même rendu à reboiser ma yeule. Voici l'histoire des racines de ma langue de bois. Voici comment on s'assimile à cette langue vide, pourquoi on choisit les demi-vérités, les faux-fuyants. Mon vécu est celui d'une personnalité du monde culturel, mais il s'apparente certainement à celui de politiciens ou autres personnalités publiques…

En janvier 2004, partant au front pour la défense d'une émission de télévision (*Les Bougon, c'est aussi ça la vie!*), j'allais devenir une personnalité publique à cause de mon « franc-parler » et de mon look de plouc mal rasé. Sitôt les premiers micros de journalistes (!) culturels braqués devant moi, j'ai dit tout ce que je pensais de la manière la plus crue, la plus simple. Certains croient alors m'insulter en me traitant de Falardeau. D'autres croient me faire plaisir avec la même comparaison. Je deviens un « énergumène » dans le paysage médiatique beige.

En cela, je correspondais à une caractéristique d'une définition de la langue de bois trouvée sur Internet : « On notera que, dans un milieu où l'utilisation de la langue de bois est généralisée, il est très facile de repérer les intrus, les nouveaux et ceux qui n'adhèrent pas à la “pensée ambiante”.»

Peu à peu, j'allais cependant découvrir ce qu'il en coûte de dire tout haut et tout clairement ce que l'on pense, ce qu'il en coûte de ne pas adhérer à la pensée ambiante. En gros, le prix à payer, c'est qu'on devient un gros clown médiatique aussi vain que ceux qui se taisent en parlant en bois. Avard-le-petit-dernier-clown-qui-dit-tout-haut-ce-qu'il-n'a-pas-toujours-le-temps-de-réfléchir fut invité un peu partout: radio, télé, émissions de débats, de variétés, journaux. Ce qu'on attendait de moi? Que je dise de grosses vérités bien juteuses et colorées. Ainsi, mon franc-parler évitait aux journalistes ou aux animateurs de se prononcer sur des sujets délicats: je le faisais pour eux. En me faisant dire de grosses vérités puis en les répétant, les journaleux s'évitaient bien du travail. Et certains journalistes, le moins ils travaillent, le plus ils se reposent. Mais vous ne voyez jamais la différence.

Au début, je disais tout ce que je pensais, ou presque. Souvent, je n'avais même pas le temps de penser à ce que je disais. Excité par l'effet ainsi produit, j'ai même fait usage de superlatifs, d'exagérations et de méga-effets langagiers. Naïvement, je pensais qu'en étalant ma pensée, les choses allaient changer. Grave erreur: «dire vrai et cru» tue le message ou nuit à la cause, puisque les seuls qui ne sont pas rebutés par la rudesse de l'affirmation partagent déjà votre avis.

Aussi, un langage cru et sans détour provoque inévitablement des réactions. On se retrouve alors engagé dans une spirale désespérante: on doit commenter ce qu'on a dit, commenter ce que d'autres ont dit à propos de ce que l'on a dit, etc. Un exemple parmi mille: lors d'un passage à *Tout le monde en parle*, évoquant une émission de télé d'avant-midi où j'avais été invité, je signale que ceux qui regardent ce genre d'émission n'ont pas de vie. S'ensuivent des appels de l'animatrice de la dite émission, des reproches de programmateurs et de producteurs qui me laissent presque croire que j'ai fortement contribué à faire disparaître l'émission des ondes, que j'ai blessé tous les artisans de cette émission (comme s'ils apprenaient de ma bouche qu'ils faisaient de la télévision pour des no-lifes...), etc. On passe des semaines à ramasser les rebounds d'une « grosse vérité ». On gère un agenda à l'affût de ce qui nous sortira de la yeule.

Tout ça épuise autant que ça tanne. Un jour, on en a marre de se faire téléphoner par des journalistes qui veulent émailler leurs articles de propos salaces et spontanés qui se retrouveront en exergue, en bold, qui veulent qu'on commente la couleur de la margarine, la chasse aux phoques, la vulgarité à la télévision, l'odeur des pets de la gouverneure générale, la pilosité d'Anne-Marie Losique. Alors, on cesse d'exprimer sa pensée. On décide d'apprendre la langue de bois et de jouer la même « game » que tous les beiges qu'on dénonçait.

Depuis, j'utilise fréquemment la langue de bois, surtout en ce qui concerne mon milieu de travail. Pour éviter les désagréments. Dès qu'on me demande mon avis sur l'humour, les humoristes, la télé, j'émets des phrases toutes faites, toutes prêtes, qui ne provoquent aucune vague. Je connais le métier de l'humour et de la télé, je sais qu'il y a un tas de paresseux, de caves, de tricheurs, de produits de merde, d'émissions à chier produites par des bandits en cravate. Et pourtant, ma formule passe-partout demeure celle-ci : « L'important, c'est qu'il y en ait pour tous les goûts. »

Comme elle est paisible, ma vie, depuis que j'arrose et engraisse ma langue de bois ! Il y en aura d'autres pour occuper le créneau des grandes yeules. Je leur souhaite bien du plaisir. Moi, I've been there, I've done that. Oh, on pourra dire que je crache dans la soupe, mais rassurez-vous : ça n'en changera pas le goût.

Deux oiseaux de
Beauchemin,
c'est mieux ...

La production du titre : *Avard chronique* sur 5 745 lb de papier Silva Enviro Edition 110 plutôt que sur du papier vierge aide l'environnement des façons suivantes :

Arbres sauvés : 49
Évite la production de déchets : 1 408 kg
Réduit la quantité d'eau : 133 146 L
Réduit les matières en suspension dans l'eau : 8,9 kg
Réduit les émissions atmosphériques : 3 091 kg
Réduit la consommation de gaz naturel : 201 m³